VERZWEGEN WOORDEN

Anke de Graaf

Verzwegen woorden

VCL serie

ISBN-13: 978 905 977 171 0
NUR 344

Omslagillustratie: Jack Staller
Omslagbelettering: Van Soelen, Zwaag
www.vclserie.nl
ISSN 0923-134X

1

Eline Hofstra goot water in het koffiezetapparaat, maar niet te veel, twee kopjes was genoeg. Het was voor haar alleen. Ze drukte het contactknopje in.

Ze had Robbie tegen halftwee naar school gebracht. Hij vond het er heerlijk. De juffies waren lief en hij kon het goed vinden met de andere kinderen. Af en toe een korte aanvaring, boze woorden en dikke tranen, maar het duurde nooit lang voor de vrede, door bemiddeling van juf Anneke, werd getekend. Zonder verklaring op papier, zonder handtekeningen. Alleen de woorden van de juf: „Zeg maar dat je het niet meer zult doen." Robbie vond het speelgoed op school mooi en hij genoot van het zingen; alle kinderen in een kring en leuke liedjes. Een blij, tevreden schooljochie dus.

Voor Eline was het stil in huis zonder haar druktemakertje om zich heen.

De koffie was klaar. Een heerlijke geur verspreidde zich door de keuken. Ze schonk in en liep met het kopje in de hand naar de kamer.

Op de bank neergestreken dacht ze na over het leven, zoals het nu voor haar was. Haar leven was goed; ze was gelukkig. Ze glimlachte om die gedachten. Een tevreden vrouw met een man die van haar hield. Aanbad wilde ze het niet noemen, maar zijn gevoelens voor haar kwamen er heel dichtbij. Naar dit leven had hij meerdere jaren verlangd, getrouwd zijn, een fijn leven samen, een kind in huis en stilletjes hopen op meer kinderen om voor te zorgen.

Ze dronk met kleine slokjes. Jan, de man van zus Mieke, zou het nippen noemen. Ze nipte omdat de koffie heet was en ook omdat ze wilde genieten van dit moment.

Veel van wat in de voorbije jaren was gebeurd, gleed langzaam in haar gedachten voorbij. Het was zoals Werner onlangs opmerkte: „Je bent nog jong, maar je hebt al veel achter de rug." Hij had haar bij die woorden lachend aangekeken en eraan toegevoegd: „Als je alles de rug hebt toegekeerd en vooruit kijkt naar de toekomst, is het voorbij."

Ze wist dat achter dergelijke opmerkingen van Werner vaak meer verscholen lag dan alleen een grappige woordspeling. Achter de rug hebben? Wát had ze achter de rug? In de eerste plaats een echte, grote liefde. De onstuimige liefde voor Vincent. Hij was de zoon van Frederik Vincent Palensteyn, de eigenaar van Palensteyns Houthandel aan het brede water Het Holgendiep in Koperwille. Zij was de dochter van timmermansknecht, zoals oma Van Bergen het noemde, Koen Sanders. Koen werkte bij aannemer Kees Dekker. Kees had een kleine werkplaats in de dorpsstraat in Rodeveld. Eline kende de leer van haar ouders: groot geld hoort bij groot geld, klein geld hoort bij klein geld.

Omdat haar ouders commentaar en waarschuwingen zouden hebben op haar omgang met Vincent, noemde ze zijn werkelijke naam niet. „Ik heb een vriend in Borgerkarspel," had ze gezegd. „Hij heet Pieter." Waarom geen Thijs, of Herman, of Eric? Dat wist ze niet. Pieter kwam als eerste in haar op en het maakte niet uit hoe ze hem noemde, als het maar niet Vincent was.

Alles was goed tussen hen geweest tot ze wist dat ze zwanger was. Op de middag waarop ze het hem wilde vertellen – ze wist zeker: we vinden samen een oplossing – praatte hij heel geëmotioneerd over de depressiviteit waarin zijn vader wegzakte. De man had de capaciteiten niet om het grote bedrijf, houthandel Palensteyn, te leiden. De schulden stapelden zich angstwekkend op en een faillissement dreigde. Maar er was een oplossing in zicht. Vincent had het met trillende stem verteld: Willem en Louise Zandbergen, goede vrienden van zijn ouders, wilden helpen! Met veel geld en de inzet van Willem. Hij zou de leiding over het bedrijf in handen nemen, hij was een slimme en gewiekste zakenman.

Hun dochter Charlotte was het vriendinnetje uit Vincents jeugdjaren. Ze koesterden beiden prettige herinneringen aan gezamenlijke vakanties. Charlotte had voor zichzelf vastgesteld dat Vincent en zij in de toekomst een paar werden. Hij had nu en dan een vriendinnetje, maar dat stelde niets voor. Eén van die meisjes had Eline twee, misschien was het drie keer in zijn flat ontmoet. Maar daar kwamen meerdere studenten over de vloer. Wanneer één van de groep een ruime flat tot zijn beschikking had, kon hij er zeker van zijn dat dat een trefpunt werd. In de winter was de kamer lekker warm, flesjes bier stonden in de koelkast in de keuken en er was plaats genoeg.

Op 'de middag van de waarheid', het praten over de grote zorgen in het bedrijf, zoals hij de vreselijke uren een naam had gegeven, vertelde Vincent haar dat er voor hem geen andere mogelijkheid was om het bedrijf en zijn vader te redden dan te trouwen met Charlotte. Charlotte was een mooie jonge vrouw, hij hield van haar, maar op een andere manier dan van Eline. Hij had gezegd: „Ik heb geen keus."

Haar vader nam de leiding in het bedrijf Palensteyn over en een huwelijk tussen Charlotte en hem werd voorbereid. De families Palensteyn en Zandbergen werden aan elkaar verbonden. Hij kon niet anders dan met de plannen instemmen.

Eline had zijn woorden gehoord, zijn tranen gezien, zijn wanhoop geproefd. Ze had zich beziggehouden met de vraag wat er zou gebeuren als ze hem vertelde dat ze zwanger was en hem vroeg: „Hoe nu verder met ons, Vincent?" Ze had gerekend op zijn antwoord: „We redden het met z'n drietjes wel, jij, ik en ons kindje." Maar nadat ze zijn woorden had gehoord en zijn beslissing wist, zweeg ze over wat ze hem wilde vertellen. Er was geen plaats voor haar in zijn nieuwe leven. Ze wist toen zeker dat ze een liefde, zoals tussen Vincent en haar, nooit meer zou beloven. Het was volmaakt, maar de avond waarop hij vertelde over het dreigende faillissement, de zorg om zijn vader en zijn huwelijk met Charlotte, was er veel in haar gebroken. Ze kon met haar verstand zijn besluit beredeneren; een groot bedrijf als de houthandel was belangrijk, maar Vincent liet haar vallen. Hij wist niet van de komende baby en daarvan mocht hij ook niet weten. Ze had verwacht dat hij koos voor hun liefde, maar Vincent liet haar vallen. Het grote geluk, de heftige liefde, zijn woorden: „Jij bent alles voor mij," telden niet meer. Het had veel pijn gedaan.

Haar ouders, de zussen Mieke en Jetske en hun mannen Jan en Frits, vingen haar geweldig op. Ze hielpen zoveel ze konden. Haar zoon werd geboren en ze gaf hem de naam Robbert. Het kind was het evenbeeld van zijn vader. Donkerblond, krullend haar en bruine ogen.

Na de bevalling nam ze haar werk bij de bank van Borgerkarspel weer op. Bij de bank werkte Werner Hofstra. Hij was chef van de afdeling leningen en hypotheken. Hij vertelde haar over zijn leven en dat hij allang stilletjes verliefd op haar was. Maar hij had gehoord van Pieter...

Er groeide een band tussen hen, ze praatten en lachten veel met elkaar. Eline ging steeds meer van hem houden. Maar haar ouders, en vooral moeder Ditte, waren heftig gekant tegen deze vriendschap. „Je zat allang op dat kantoor, maar hij zag je niet eens! Nu je een ongehuwde moeder bent, denkt hij jou te pakken te kunnen nemen! Maar dat zal niet gebeuren!"

Ze was na een heftige woordenwisseling met Robbie gevlucht naar Werners huis in Borgerkarspel.

De ruzie met haar ouders was nog niet bijgelegd.

Het koffiekopje was leeg. Ze zette het terug op de tafel en leunde onderuitgezakt op de bank. Haar hoofd met de blonde haren tegen de hoge rugleuning. Ze glimlachte. Werner, lieveling, ik heb een verrassing voor je en je zult er heel blij mee zijn; ik ben weer zwanger. Ze zou het hem vanavond vertellen als Robbie sliep en het rustig was in huis.

In de avond keek ze naar hem. Hij ruimde in de speelhoek Robbies spulletjes op. „Dit wil ik doen," had hij gezegd, „mijn ouders ruimden vroeger het speelgoed op dat Julius, Marianne en ik overhoop hadden gehaald. Mijn moeder vertelde dat ze, als ze in haar kinderjaren fijn bezig was met haar poppen en beren, plannen in haar hoofdje en druk met van alles, het schrille sein 'alles in de kist gooien...' haar steeds weer heftig had losgerukt uit haar fantasiewereldje. Ze had vaak gedacht: Ik ga niet meer spelen, het opruimen maakt alles kapot." Daarom ruimde Werner Robbies autootjes op. „Ons manneke neemt zijn verhaaltje over hun verdere avontuur mee naar dromenland."

Werner zat naast haar.

„Ik ga je iets vertellen."

Hij knikte.

„Waarom knik je? Je weet niet wat ik zeggen wil." Ze legde een plagend toontje in de woorden.

„Ik knik ja omdat je zegt me iets te willen vertellen en dat zal dus gebeuren. Ik vermoed dat het over de ruzie met je ouders gaat."

Dit was de manier van Werner om haar te zeggen dat hij over dat onderwerp wilde praten. Als het nu niet haar onderwerp was, kwam hij er straks op terug. Een diplomatiek antwoord ter voorbereiding. Hij praatte verder: „Mieke is hier geweest en ze vertelde dat je ouders, en vooral moeder Ditte, het er moeilijk mee hebben. Jij denkt: eigen schuld, dikke bult, maar," hij trok haar naar zich toe, „dat meen je niet echt. Wij vinden het ook niet prettig dat het zo is gegaan. En vooral dat het zo lang duurt terwijl duidelijk is dat ik niet..."

„Hierover wil ik helemaal niets vertellen."

„Ik dacht dat het onderwerp belangrijk voor je was."

„Dat is het ook. Maar ik wil zeggen..."

„Schatje, vertel het me maar," en nog even plagend: „je wilt nieuwe tuinstoelen omdat deze..." Maar omdat ze haar hoofd schudde, nee, ze hoefde geen nieuwe tuinstoelen, zei hij: „Niet dus. Ik val je niet meer in de rede."

„Werner, ik ben zwanger."

Zijn gezicht straalde opeens. Hij nam haar handen in zijn handen, hij trok haar naar zich toe en kuste haar. „Vrouwtje, mijn lieveling, wat heerlijk! Ik heb het je nooit duidelijk gezegd, was bang dat het ons niet gegven zou zijn, en dan bleef ik toch dolgelukkig met jou en Robbie, maar dit, een leven met z'n viertjes is een lang gekoesterde wens, een baby van ons samen..."

Hij was erg gespannen en nerveus. Hij was zo blij; maar wat kon hij vragen en zeggen? Hoe ze zich voelde, of ze misselijk was in de morgen. Of ze...?

Ze praatten er lang over. Na enigszins met het idee van de komende baby vertrouwd te zijn, zei hij: „Ik denk aan de tijd toen ik over jou droomde. Je was dicht bij me, in het kantoor grenzend aan mijn kantoor. Maar je was onbereikbaar. Ik kon je aanraken, maar dat mocht niet. Ik wilde graag met je praten, dat mocht wel, maar alleen over zakelijke dingen. In die tijd fantaseerde ik over hoe het zou zijn als jij mijn vrouw was. In één huis wonen, aan één tafel eten, in één bed slapen. De werkelijkheid is heerlijker dan mijn dromen van toen.

Lieveling, ik heb vaak gedacht dat de jaren van teleurstelling in de liefde voor mij verloren jaren zijn geweest. Achteraf is dat beslist niet zo. Ik aanvaard het leven van nu niet als gewoon, sterker nog, ik heb niet het gevoel dat ik er recht op heb. Ik ben er nog steeds heel dankbaar voor.

En nu krijgen we een baby. Een baby'tje van ons samen, Eline, een kindje in ons huis en het zal óns kindje zijn! Een broertje of een zusje voor Robbie. Ik kan het nog niet echt bevatten, maar ik ben er zielsgelukkig mee. De zwangerschap is nog in het beginstadium?"

„Ja. Het duurt nog acht maanden voor de baby geboren wordt."

„Het grote wonder; al dikwijls besproken en beschreven, maar steeds opnieuw weer een wonder."

Ja, wist Eline terwijl Werner doorpraatte, het worden maanden van wellicht ongemak en pijn en de bevalling zal misschien zwaar zijn, maar naast me is deze keer de vader van het kind, hij steunt me en hij zal bij me zijn.

Drie dagen daarna begon Werner tijdens de avondmaaltijd: „Meiske, ik wil toch terugkomen op de narigheid met je ouders. Hoe kan de onenigheid met hen opgelost worden? Als jij niet de eerste stap zet en je ouders doen dat ook niet, want het zijn Rodeveldse stijfkoppen, blijft alles nog jarenlang zoals het is. Dat willen wij niet en dat willen vader Koen en moeder Ditte ook niet. Ik hoop dat jij hierin de wijste kunt zijn. Bel ze en vraag of ze een avond naar Borgerkarspel komen omdat je hun wilt vertellen wat er destijds tussen Pieter en jou heeft plaatsgevonden.

Je zult Pieter die avond moeten afvoeren en Vincent Palensteyn voor het voetlicht brengen. En dat is het belangrijkste, de geschiedenis van het waarom uit de doeken doen. Het verhaal van de ellende in Koperwille. En de gevonden oplossing.

Als je moeder zegt dat het een verzonnen verhaal van Vincent is geweest om niet met jou te hoeven trouwen, kan ik het weerleggen. Ik weet van de grote zorgen destijds bij Palensteyn. Maar ik verwacht niet dat ze daarmee zal komen. Ze zal blij zijn met vader Koen in onze huiskamer op de bank te zitten. Ze mag Robbie knuffelen en ze zal zien dat het goed is tussen ons. Wat wil een moeder nog meer!"

„Ja," antwoordde Eline blij, „ik bel ze meteen. Je hebt gelijk. Als het kan, moet er een einde aan de ruzie komen. Het heeft lang genoeg geduurd. En er is voor hen geen reden meer nog langer vol te houden dat jij niet deugt! Zo'n keurige, lieve vent! En als ze niet willen komen, hebben wij de eerste stap gezet!" Ze lachte naar hem ondanks de spanning die ze voelde. Durfde ze dit, na al die jaren? Nee, eigenlijk niet, maar het moest gebeuren.

Ze liep naar de telefoon. Na lange tijd zou ze moeders stem horen, weer denken aan de door diezelfde stem uitgesproken vernederende woorden. Maar het moest voorbij zijn, vergeven en vergeten.

Ze toetste het nummer in en wachtte. Nu stond moeder op uit haar stoel, dat wist ze, ze zag het voor zich. Vader niet, vader zou zeggen: „De telefoon gaat," maar hij zou blijven zitten.' Eline voelde haar hart sneller kloppen dan normaal en haar warme, trillende hand om de hoorn.

Er werd opgenomen en ze hoorde moeders stem, nog net zoals vroeger: „Ditte Sanders."

„Moeder, met Eline. Wij vragen jullie een avond naar ons toe te komen. Dan zal ik de waarheid vertellen over wat destijds rond Pieter en mij is gebeurd."

Moeder hakkelde: „O... eh... een avond bij jullie komen... Dinsdagavond is er vrouwenvereniging en donderdag heeft vader zijn biljartavond..." Echt moeder; was dit niet belangrijker? Maar ze had zelf de oplossing: „Woensdagavond, schikt dat?"

Eline wilde zeggen: Voor ons is dit belangrijk genoeg om elke avond als geschikt te zien, maar haar bellen overviel moeder natuurlijk en bracht haar in de war. Vader zou, in de huiskamer in Rodeveld, met verbazing op zijn gezicht naar moeder kijken.

In plaats daarvan antwoordde ze: „Ja, dat is goed. Vondellaan achtentwintig. In Borgerkarspel."

„We weten het. Mieke heeft verteld waar jullie wonen."

„Tot woensdag." Ze aarzelde eraan toe te voegen: Doe vader de groeten van me, maar dat ging haar net even te ver.

Ze legde de hoorn terug.

„Prima gedaan, liefje. Wat gevraagd moest worden, is gevraagd. De afspraak is gemaakt. De eerste stap is gezet." Hij zweeg even en vroeg toen: „Kennen je zussen en hun mannen de ware geschiedenis?"

„Nee," was haar korte, duidelijke antwoord.

„Jij bent een wonderlijk vrouwtje om alles zo stil te houden. Maar ik ken de waarheid achter dat zwijgen en ik ben het met je eens dat dit de juiste keuze was."

Woensdagavond trilde Eline van spanning om wat stond te gebeuren. Ze zou tegenover haar ouders staan. Ze had ze drie jaren niet gezien en niet gesproken.

Werner begreep haar spanning en hij gunde haar rust, hij speelde met Robbie. De tijd hem naar zijn bedje te brengen was al een uur voorbij, maar ze wisten beiden dat opa en oma hem dolgraag wilden zien en vasthouden.

„Ga op de bank zitten, lieverd, en zeg tegen jezelf dat het je vader en je moeder zijn die komen. Twee mensen die je je leven lang al kent en die niets liever willen dan dat het weer goed is tussen hen en jou. Jij wilt ook niets liever dan dat. Alle drie dezelfde wens die straks in vervulling zal gaan. Een blij vooruitzicht, ja toch?

Ik wil ook dat het in orde komt, vooral voor jou. Het zijn jouw ouders. Ze hebben lelijke dingen gezegd, maar bedenk daarbij dat jij de waarheid achterhield." Hij lachte naar haar. „En ze hadden verkeerde gedachten over mij! Als het vanavond uit de hand loopt, zal ik ze dat alsnog voor de voeten gooien! Maar het loopt niet uit de hand. De emoties van destijds zijn gesust."

Even voor acht uur stopte een auto voor het huis. Eline stond op en Robbie, die de wagen ook had gehoord, liet zich van de stoel glijden en riep: „Tante Mieke en ome Jan!!" en hij holde voor Eline uit naar de gang. Laat maar, dacht Eline, ik weet niet hoe het zal gaan, het komt wel goed.

Ze opende de voordeur. Robbie deed een stap achteruit, het waren tante Mieke en oom Jan niet, maar twee vreemde mensen. Maar mama was bij hem en mama zei: „Dag, kom binnen."

Ditte Sanders strekte haar handen uit naar haar dochter. Koen had gezegd: „Je moet doen wat je hart je ingeeft, niet denken, gewoon doen." En dit was wat haar gevoel haar ingaf.

„Eline, Elientje." Meer kon ze niet uitbrengen.

Eline kwam niet verder dan een stamelend: „Mama."

Ze lieten elkaar los en Ditte boog zich naar de kleine jongen. „Ik ben oma Ditte."

Robbie kende alleen oma Hermine en opa Tom, maar als deze mevrouw zei dat ze ook een oma was, zou dat wel zo zijn.

Koen Sanders had zijn dochter inmiddels in zijn armen gesloten. „Ik heb zo naar je verlangd, kind," zei hij moeilijk.

Werner had het gebeuren in de gang gadegeslagen en wist dat het goed zou komen. „Werner Hofsta," stelde hij zich voor. Een uitgestoken hand die direct werd aangepakt.

„Ditte Sanders," en Ditte voegde eraan toe: „De moeder van Eline."

Werner glimlachte niet om de opmerking, maar knikte haar hartelijk toe.

Koen Sanders gaf hem een stevige handdruk. Hij zag de man en wist: dit is een goede kerel. Geen vent die Eline wilde veroveren en gebruiken, zoals Ditte het had genoemd, om haar daarna aan de kant te schuiven. En de mooie woorden die Mieke en Jetske over hem hadden uitgesproken, geloofden Ditte en hij niet.

Ze zaten rond de lage salontafel. Robbie naast Ditte. Hij had het pakje dat ze voor hem had meegebracht, een mooie auto, uitgepakt en hield de wagen op zijn knietjes als een kostbaar bezit. En dat is een nieuwe auto tenslotte ook. „Oma's mogen kleine cadeautjes meebrengen," had Ditte gezegd.

„De koffie is gauw klaar," zei Werner, „ik stel voor dat ik Robbie nu naar zijn bedje breng. Ja jongen, die mooie auto mag natuurlijk mee. Vervolgens drinken we koffie en daarna praten we met elkaar over de dingen die gebeurd zijn."

„Een prachtig huis, Eline," merkte haar moeder op.

„Ja, het is een heerlijk huis."

„Ook een flinke tuin," voegde haar vader eraan toe.

„Een mooie tuin," ging Eline erop in. Ze wilde de tijd vol praten tot Werner terug zou zijn in de kamer. „Een groot gazon, daar omheen veel bloemen in het voorjaar en in de zomer en aan de achterkant van de tuin hoge bomen. Als het waait, en meer nog als het stormt, geeft het gestoei van de wind met de bladeren een heerlijk geluid."

Werner kwam terug met de koffie en schonk de kopjes vol. Hij ging zitten en Eline rechtte haar rug. Ze wilde een fiere houding aannemen, laten zien dat ze zich zeker voelde.

„Het lijkt me het beste dat ik eerst het een en ander vertel," en na instemmend geknik van haar ouders – in vaders ogen glansde een blik van nieuwsgierigheid – begon ze: „Ik had een vriend en ik noemde tegen jullie een naam. Ik zei dat hij Pieter heette. Misschien heb ik zelfs een achternaam genoemd, maar dat kan ik me niet meer herinneren. Als ik iets gezegd heb, zal het De Jong of De Wit zijn geweest. Maar Pieter de Jong of Pieter de Wit was zijn ware naam niet."

Ze zag het gezicht van haar moeder, de ogen vol onbegrip en de mond die een beetje openviel. En vaders ogen, met een scherpe blik: Wat zei ze nou, die knaap heette niet Pieter? Maar Eline praatte verder: „Hij heette in werkelijkheid," ze sprak de naam langzaam uit, „Vincent Frederik Palensteyn. Hij woonde officieel bij zijn ouders in het Huis Palensteyn aan de Oplanderweg, maar hij studeerde in Walkenaar. Daar hadden zijn ouders een flat gekocht zodat hij niet elke dag heen en weer hoefde reizen. Dat zou veel tijd kosten."

„Dus er wás helemaal geen Pieter, hoor ik dat nou goed?!" riep vader Koen naar Ditte. Uit de manier waarop hij naar haar keek, wist ze dat ook hij heel verbaasd was. „Hoe kreeg je dat nou in je hoofd? Wat een dondersteen was je toch! Er wás helemaal geen Pieter."

Hij was op zoek gegaan naar alle jongens in Rodeveld en omgeving die Pieter heetten, rond de twintig waren en mogelijk zin in zijn dochter hadden gehad, maar nu zei ze dat er helemaal geen Pieter was geweest!! Hij schudde zijn hoofd en leunde terug in de stoel.

Eline vertelde over de liefde die tussen Vincent en haar groeide en over de avonden en nachten in Walkenaar. De flat, die in de weekenden hun liefdesnestje was geworden. Ze praatte over de dag waarop ze wist zwanger te zijn, En, uitgebreid, over de middag waarop ze hem van de zwangerschap wilde vertellen. Maar Vincent had het woord genomen en vertelde heel emotioneel over de moeilijkheden in het bedrijf, over de zorgen die er voor zijn vader waren, de hulp die Willem en Louise Zandbergen aanboden en over Charlotte, hun dochter, die al vele jaren van Vincent hield en ervan overtuigd was dat hij ook van haar hield.

Zij, Eline, had die avond begrepen dat het definitief voorbij was tussen Vincent en haar. Een toekomst samen was onmogelijk en ze besloot hem niet te vertellen dat ze een kind van hem verwachtte. „Het was een vreselijke avond. Vincent huilde. Hij vond het verschrikkelijk dat het tussen ons voorbij moest zijn. Maar hij kon niet anders doen dan zijn vader en het bedrijf redden. Hij was de enige die daartoe in staat was. Hij kon geen andere weg kiezen dan de weg die hij besloten had te kiezen: trouwen met Charlotte; en Willem Zandbergen, zijn schoonvader, de touwtjes in handen geven van het bedrijf Palensteyn." Ze besloot haar relaas met de woorden: „Maar jullie vingen me geweldig op." Ze keek haar moeder vriendelijk aan.

Ditte Sanders knikte. Ja, we vingen haar geweldig op. Ze vroeg: „Maar kind, waarom noemde je de echte naam van die jongen niet tegen ons?!"

„Omdat naar vaders mening alle directeuren en eigenaren van grote bedrijven hun werkvolk uitbuitten. Vader noemde de naam Palensteyn meerdere malen voor ik Vincent ontmoette. Ik wist hoe hij erover dacht. Vader had mensen gesproken die op de werf werkten en vonden dat ze te weinig verdienden terwijl de rijke stinkerd in een dure auto... En jullie stokpaardje dat jongens met geld achter de hand wel met een arbeidersmeisje willen vrijen, maar er niet mee willen trouwen, en..."

„Dat is dus uitgekomen," merkte haar vader met een norse stem op.

Eline negeerde de opmerking en Ditte Sanders pakte een veilige draad op door terug te keren naar wat Eline daarvoor zei. „We vingen je goed op. Wij merkten dat dit een meisje kon overkomen dat beschermd was opgegroeid, een meisje uit een veilig, goed gezin in een vredig dorp als Rodeveld."

Eline knikte. Ja, een simpel meisje uit Rodeveld. Ze praatte verder: „Werner werkte op de bank. Hij vertelde me op een heel bijzondere avond..."

Haar ouders luisterden vol aandacht. Ditte dacht: Goed van

hem dat te doen, een liefdesverklaring, maar Koen vond het een vreemd verhaal. Zoiets zou hij nooit gedaan hebben! Hij stapte in zijn jonge jaren meteen af op een meisje dat hij aardig vond. Dan wist ze wat er aan de hand was! In stilte liefhebben was niets voor hem.

Werner voegde aan Elines verhaal toe: „Het was moeilijk met deze bekentenis te komen, maar ik wilde dat Eline wist hoeveel ik van haar hield. Ik was allang verliefd op haar. Zij was de vrouw waarover ik droomde. Maar op het kantoor werd over ene Pieter gepraat en ik begreep uit de verhalen dat er voor mij geen kans was. Pas na de geboorte van de baby kwam ik te weten dat de liefde tussen de vader van het kind en Eline voorbij was. Toen wilde ik haar vertellen wat ik voor haar voelde." Hij glimlachte.

Koen Sanders knikte naar hem. Goed dat hij over die liefde had gepraat, dat wel. Zo te zien was het stel gelukkig. En Werner had een goede baan, een mooi huis, keurig ingericht...

Van het ene onderwerp waaierde het gesprek naar het volgende onderwerp. Moeder vroeg of Vincent inderdaad met de dochter van de vrienden van zijn ouders was getrouwd en Eline antwoordde: „Ja, ze zijn getrouwd."

„En vader Palensteyn? Hoe gaat het met hem? Zo'n prachtig bedrijf en het dan eigenhandig naar de knoppen helpen, dat zal je niet in je kouwe kleren gaan zitten!"

„We hebben gehoord dat het goed met hem gaat."

„En, eh..." Ditte durfde het eigenlijk niet te vragen, maar ze wilde het wel graag weten: „Weet Vincent intussen van zijn kind?"

„Ja."

Nu moest alles maar op tafel. En Eline begon: „Ongeveer een jaar geleden..." Ze vertelde over een kinderfeest in Walkenaar en wat daarna gebeurde.

„Wat een vreselijke toestand," er klonk medelijden in Dittes stem, „jullie hebben wat meegemaakt!"

En vader Koen keerde nog even terug naar een voor hem belangrijk punt in de geschiedenis door te vragen: „Je hebt de naam van je vriend van destijds voor ons verzwegen omdat je bang was voor mijn mening over mensen met geld."

„Ja." Ze bleef hem aankijken. Dit was heel belangrijk. Vader moest toegeven dat hij destijds inderdaad zo reageerde. Ze voegde aan haar ja toe: „U zei zo-even dat het was uitgekomen: ik bleef alleen met een kind van een man met geld. Maar als het bedrijf bij de vader van Vincent in goede handen was geweest, had Vincent met grote liefde mij als zijn vrouw en de toekomstige moeder van zijn kind aan zijn familie voorgesteld en zich niets, helemaal niets van kritiek, zo die er al gekomen zou zijn, aangetrokken. Tussen Vincent en mij bestond oprechte liefde."

Haar vader knikte. Het was beter er niet op in te gaan.

Eline voegde er nog aan toe: „In het begin van de vriendschap met Vincent wist ik al hoe jullie erover zouden oordelen. 'Een gulden en een dubbeltje passen niet in dezelfde beurs.' En ik bleef de naam Pieter volhouden omdat ik bang was dat vader Vincent zou opzoeken om hem te dwingen aan de opvoeding van Robbie mee te betalen." Ze keek naar haar vader, een kleine twinkeling in de ogen. „Je was al op speurtocht naar Pieter, maar ik wist dat je mijn Pieter nooit zou vinden."

„Ik had Vincent, of zijn familie, zeker benaderd. Dat staat vast. En het zou terecht geweest zijn. Het is ook zijn kind en hij behoort in de kosten bij te dragen. Ik vind het zelfs volkomen normaal hem daarmee alsnog te confronteren."

„Alsjeblieft niet!" riep Werner. „Wij willen volkomen los van hem zijn. Wij zorgen voor Robbie. Hij heet Hofstra. Hij is volgens de wet mijn zoon. Zo voel ik het ook!"

„Gelijk heb je," keurde Ditte zijn woorden goed, „maar Koens ogen gaan draaien als hij kans ziet geld binnen te halen." Ze zei het lachend. Koen kon wel tegen een plagerijtje.

Werner stond op. „Ik breng de kopjes naar de keuken en ik schenk een drankje in. Als er nog vragen zijn, hoop ik dat Eline en ik daarop de antwoorden kunnen geven. Maar in grote lijnen heeft ze de geschiedenis duidelijk verteld."

Moeder Ditte knikte instemmend. Ze wisten nu hoe één en ander was gegaan. Vader Koen reageerde niet op de woorden van Werner. Voor hem pruttelde alles vanbinnen nog een beetje na. De Palensteyns, de rijknekken van het grote bedrijf in Koperwille... Hij was er meerdere malen geweest om met Kees Dekker hout te halen. De vader van Robbie was dus de zoon van de directeur die in het kantoor dat naast de loods stond – want meneer hield natuurlijk niet van het lawaai van de machines – achter een groot bureau zat. Maar deze keek niet naar zijn zoon om. Hij wist de eerste jaren niet eens dat hij een kind hád.

Koen Sanders geloofde dat Vincent er niets over aan zijn ouders had verteld. Laat ze het in Rodeveld maar opknappen! Dat vrouwtje van hem wist waarschijnlijk ook nergens van. Als het verteld werd, was waarschijnlijk de uitleg: een verkeerde bokkensprong van een student die zijn wilde haren nog moest kwijtraken! Maar Ditte en hij, en natuurlijk Eline, hadden de zorgen gehad.

Hij voelde dat Ditte naar hem keek. Ze kende hem zo goed, dat had ze laten weten door de opmerking van zo-even. Maar dat was een opmerking die nergens op sloeg. Hij was niet jaloers op mensen met een slee van een auto voor de deur of een jacht deinend aan de steiger van het Holgendiep, maar hij kon onrecht niet verdragen. En het was niet eerlijk dat Werner Hofstra voor alle kosten opdraaide. Maar, daar had Werner wel gelijk in, Eline en hij wilden los van Vincent leven. Vrijheid, blijheid, zo was het, maar toch...

Toen Koen en Ditte opstonden om terug te rijden naar Rodeveld – het was toch nog laat geworden – vroeg Ditte, ze durfde vrijuit te praten, de avond was haar erg meegevallen: „Willen jullie zondag na kerktijd bij ons komen koffiedrinken? We weten dat Mieke en Jan en Jetske en Frits jullie nu en dan opzoeken, maar het lijkt me fijn jullie alle zes in ons huis te hebben. Met de kleintjes, Robbie en Dieneke, erbij natuurlijk."

Eline keek naar Werner en hij knikte. Ze liepen wel een beetje snel van stapel, maar hij begreep dat Ditte dit prettig zou vinden. En, natuurlijk, Eline ook. Ze zou na drie jaren weer haar ouderlijk huis binnenstappen.

Toen de auto was weggereden en Werner de deur had afgesloten, hield hij haar vast. „Deze avond is voorbij, lieveling, en hij is goed verlopen."

„Ja, het was goed."

„Ik sluit de achterdeur en doe de lampen uit. Ga jij maar vast naar boven. Je zult moe zijn na deze avond, want af en toe hing er toch spanning in de lucht. Maar wij nodigden hen uit met het doel de deur naar elkaar open te zetten en zij stapten graag binnen."

In bed kroop ze tegen hem aan. „Ik ben blij, Werner. Het waren destijds wat vader vanavond de donkere tijden noemde. Ik was toen boos en vooral op mijn moeder, omdat ze onwijze en gemene dingen tegen me heeft gezegd. Maar los daarvan is moeder Ditte een goede en lieve moeder."

„Je hebt destijds een niet-bestaande vriend ten toneel geroepen, maar lieveling, nu ik vanavond je vader heb gehoord raak ik er steeds meer van overtuigd dat het een goed besluit van je is geweest de ware naam van je vriend niet te noemen."

„Mijn ouders vertellen natuurlijk voor zondagmorgen het

hele verhaal aan mijn zussen en hun mannen. Dat begrijpen we allebei. Zij zijn ook nieuwsgierig naar de waarheid."

De volgende avond werd inderdaad het hele verhaal aan de zussen uit de doeken gedaan. Na een opmerking over Werner vertelde Jetske: „Hij lijkt op het eerste gezicht een zachte, lieve, wat zijige man, maar Theo en Elly Koopmans zijn bij hem geweest om over een hypotheek voor hun boerderij te praten. Ze wilden iets aanbouwen achter de kamer. Volgens Theo is het een vent waarmee je reëel een zakelijk gesprek kunt voeren. Op rustige toon, maar wel duidelijk.

Naast Eline is hij een man die uitstraalt dat hij gelukkig is. Dat is Frits, geloof ik," even een lachje, „ook wel, maar hij vindt het normaal dat wij blij zijn met elkaar. Daarom hebben we toch voor elkaar gekozen? Dan hoef je niet steeds te zeggen: 'Schatje, ik ben zo blij met je!' Dat is toch vragen naar de bekende weg?" Ze lachten er allemaal om.

Zondagmorgen, na de kerkdienst, reden ze naar Rodeveld.

Eline vertelde Robbie wat er te gebeuren stond.

„We gaan naar de opa en oma die woensdagavond bij ons waren."

„De oma en opa van de mooie auto."

„Ja. Oom Jan en tante Mieke zijn daar ook."

„En Dieneke ook?"

„Ik weet zeker dat ze Dieneke meenemen. Ze kunnen haar toch niet alleen in huis achterlaten? Dan gaat ze huilen en om haar mama en papa roepen. Maar die horen haar niet, want ze zitten bij opa Koen en oma Ditte."

Robbie knikte. „Ze nemen Dieneke wel mee," zei hij vol vertrouwen.

„Ik denk het ook. En oom Frits en tante Jetske komen ook."

„Heeft die oma zoveel stoelen?"

„Ja. Die opa en oma hebben een bank en nog een bank en

stoelen bij de tafel in de kamer en stoelen bij de tafel in de keuken."

Robbie knikte gerustgesteld. Stoelen genoeg dus.

Eline zei tegen Werner: „Ik vermoed dat moeder de jongelui heeft aangeraden deze morgen niet met vragen te komen. Het moet een gezellig koffie-uurtje worden. Het hele stel knus bij elkaar. Ik zeg het op een wat neerbuigende manier, maar ik ben er heel blij mee."

„Ik begrijp dat je vader en moeder het fijn vinden hun koppeltje bij elkaar te hebben. Je ziet het bij mijn ouders. Als we alle drie met aanhang in hun huis zijn, glunderen ze. En wij vinden het ook leuk. Straks, bij jouw ouders, na zoveel jaren de drie dochters weer over de vloer, heerlijk toch? En als er wel vragen komen, gaan wij nergens op in. Een kort antwoord, meer niet."

Toen de auto voor de deur van haar ouderlijk huis stopte en ze uitstapten, zag Eline dat even het gordijn aan de overkant opzij werd geschoven. Het vriendelijke gezicht van buurvrouw Welkers gluurde naar buiten. Eline stak haar hand op en de vrouwen lachten naar elkaar. Een lach van begrip. 'Fijn kind, hier doe je goed aan'.

Het werden gezellige uurtjes. Er werd wel gepraat over alles wat er gebeurd was, maar op een oppervlakkige manier. Geen vragen als: „Hoe kon het nou gebeuren dat..." Wel grapjes over de naam Pieter. Jan zei: „De man bestaat niet, dus hij kan zich niet beledigd voelen wat wij over hem zeggen." Geen woord over Vincent Palensteyn. Ze wisten dat dat onderwerp gevoelig zou liggen. Het kwam wellicht nog eens, later.

Tijdens de terugrit dommelde Robbie weg in het kinderzitje op de achterbank. Eline zakte vermoeid tegen de rugleuning van de passagiersstoel en Werner voelde zich heerlijk. Met vrouw en zoon en een tweede kind op komst in de auto naar hun huis rijden was de vervulling van een verlangen waarover hij had gefantaseerd en gedroomd.

Eline was, zoals men dat vroeger noemde, in de schoot van haar familie teruggekeerd. Het zag ernaar uit dat het in de toekomst goed zou blijven gaan. Luchtige grapjes en opmerkingen hadden ervoor gezorgd dat de spanning omtrent de nare gebeurtenis uit het verleden verdwenen was. Het was voorbij. Alles was goed nu. Waarom nog denken over wat niet goed was geweest? Wat werd je er wijzer van? Vooruit kijken. Niet omkijken. Het verleden achter je laten. De toekomst wenkte. Werner grijnsde achter het stuur. Wat kon hij nog aan deze gedachte toevoegen? Zoek de zon op. Treur niet over nare voorvallen die in het verleden zijn gebeurd. Voorbij is voorbij.

2

Het voorjaar ging over in een mooie zomer, maar onvermijdelijk ging deze over in een herfst met veel regen en najaarsstormen die de nu kale takken van de hoge bomen achter in de tuin heen en weer zwiepten.

De laatste week van november was ingegaan, december wachtte. Robbie had thuis, maar natuurlijk ook op school, over Sinterklaas gehoord. Hij was opgewonden over het aanstaande bezoek van de oude, lieve man met zijn zwarte pieten aan de kinderen op school. En het krijgen van cadeautjes vond hij ook leuk. Als je liedjes zong, kwam alles voor elkaar. Die liedjes leerden papa en mama hem. En juf Stieneke. En het was goed nu en dan voor het paard van Sinterklaas een wortel bij de achterdeur neer te leggen. Mama zorgde voor de wortel en Robbie legde hem naast de achterdeur.

Papa vertelde dat Sinterklaas alle kinderen lief vond. Geen roe onder in de zak en geen pieten die gluurden door de ramen om te zien of je stoute dingen deed. Sinterklaas wilde wel dat je een verlanglijstje maakte, want anders wist hij niet wat je graag wilde hebben. Dus zodra de eerste reclameboekjes en -folders van de speelgoedzaken op de gangmat vielen, nestelde Robbie zich op Werners knie om alles te bekijken. „Heb je een pen en een papiertje, papa, jij moet het voor me opschrijven."

Werner genoot van dit soort tafereeltjes. De hoge kinderstem, het enthousiasme waarmee de kleine krullenbol alles opnoemde.

„Ons huis staat straks vol als de zwarte pieten dit allemaal brengen!" merkte Werner met grote zorg in zijn stem op.

Maar Robbie wist: „Nee, papa, ze brengen niet alles! Andere kinderen willen ook cadeautjes. Maar op de lijst moet staan wat ik het graagst wil hebben. Dan zegt Sinterklaas wat de pieten moeten brengen."

Werner had met Marianne afgesproken dat zij met hem op stap zou gaan om inkopen voor het feest te doen. Eline had de verlanglijstjes zo uitvoerig mogelijk ingevuld. De winkel waar het geschenk te koop was, de juiste maat, de verlangde kleur.

Nadat Werner met Robbie zijn lijstje had opgesteld, wist hij wat hij het graagst wilde. Boven aan de lijst stond een rode autobus. Werner nam zich voor morgen in de lunchpauze direct naar de speelgoedwinkel te gaan, want als Robbie de rode autobus niet kreeg, zou hij hevig teleurgesteld zijn, en vooral in Sinterklaas. Werner vond het heerlijk deze boodschap te doen. Een cadeautje kopen voor zijn zoon…

En in de avond, Robbie was weer op zijn schoot geklommen, vertelde het kleine mannetje: „Papa, weet je wat opa Tom gaat doen? Sinterklaas komt natuurlijk ook bij hem en oma Hermine en de ooms en tantes zijn daar dan en Tobias en Joost en Tommy en Marijke ook." Zijn toetje glunderde, de bruine ogen glansden. „Opa Tom maakt net als jij lijstjes van wat oma en hij graag willen hebben en hij maakt ook lijstjes waar onze namen op staan! Daarop schrijft hij wat jij en mama en ik vragen. Eén of twee dingen. Voor mij schrijft opa op dat ik graag lego wil."

Robbie keek Werner strak aan. „Papa, vind jij het niet een beetje stout dat opa dat doet? Mag dat wel? Vindt Sinterklaas het wel goed?"

„Dat vindt Sinterklaas wel goed. Als opa Tom iets opschrijft wat wij niet op onze lijstjes hebben gezet… Of het nou op het ene of op het andere lijstje staat." Werner vond het een redelijke verklaring en Robbie nam er knikkend genoegen mee.

„Opa Tom zegt dat we moeten komen om te kijken of Sinterklaas het ook gebracht heeft," hij keek Werner vragend aan, zijn hoofdje iets schuin, „en dat doen we ook, hè pap?"

Werner reageerde enthousiast: „Natuurlijk doen we dat! Als

we niet gaan kijken en de sint heeft wel pakjes gebracht, dat zou niet leuk zijn voor Sinterklaas!"

Nee, als je iemand een cadeautje komt brengen, moet die iemand het aanpakken. Dat vond Robbie ook.

Moeder Ditte stelde voor het feest van vijf december met elkaar in Rodeveld te vieren. Leuk voor Dieneke en Robbie. En Eline kon de hele avond blijven zitten, handen genoeg om te doen wat gedaan moest worden.

Het werd erg gezellig. Ieder voor zich had op het einde van de avond een prettig gevoel en niet in de eerste plaats om de gekregen geschenken, maar om het feit dat het gezin weer bij elkaar was. En er werd nagenoten van het plezier van de twee kleuters, wat de avond tot een uitbundig feest maakte.

In het begin van de middag van de negende december stond Eline in de keuken. Ze leunde licht met haar buik tegen het aanrecht. Ze wachtte tot de thee in het kleine potje getrokken was. Een klein potje was genoeg, twee kopjes voor haar. Robbie was naar school.

De laatste weken nam Tine Kamphuis hem mee als ze haar zoontje Rens naar school bracht. Rens was wat Robbie stoer noemde 'Mijn vriendje'. „Eline," had Tine gezegd, „ik rij toch naar de Willemsweg. Als ik Robbie meeneem, hoef jij de deur niet uit. Een klein geheimpje erbij: Rens vindt het heerlijk met Robbie het plein op te hollen. Hij is een ietsje verlegen, hij moest zich steeds weer dapper opladen alvorens zich tussen de gillende kinderen te storten, maar met Robbie naast zich voelt hij zich sterk. Ik pik je zoon om vier uur weer op. Het is totaal geen moeite. Ze zitten in dezelfde groep en ze lopen op hun eigen benen. Zo groot zijn onze mannekes al."

Eline schonk de thee in een mooi kopje en liep met het kopje in de hand naar de kamer. Ze zette het op een tafeltje en nam moeizaam plaats in de wijde, hoge rotanstoel die schuin voor de brede tuindeuren stond. De handen even onder de buik. Ja, ukkepuk, we gaan zitten.

Ze reikte naar het kopje. „Er is iets vreemds met me," stelde ze vast en tegelijkertijd kwam er een lachje op haar gezicht om de vraag aan zichzelf: Wat is er dan vreemd? Vreemd was eigenlijk het juiste woord niet. Er was onrust in haar, een gevoel van angst. Ze kon niet verklaren waar het gevoel vandaan kwam. Het had niets te maken met een lichamelijke klacht. Ze voelde wel het één en ander, maar dat was in deze omstandigheden normaal. Ze had geen pijn. Niet meer ongemakken dan in de voorbije dagen. Waarschijnlijk had het angstige gevoel te maken met alles wat er in haar lichaam gebeurde en was het spanning voor de komende bevalling. Toch iets van angst dus, van opzien tegen wat ging komen. Ze wist tenslotte wat haar te wachten stond.

Misschien was het een stille vrees om wat niet goed kon gaan. Misschien vrees voor een kindje met een afwijking, iets met een armpje of een voetje, of een kindje met het syndroom van Down. Ze wist waar deze gedachte zijn oorsprong had gevonden, maar ze wilde er niet aan denken, het verdringen. Het was opeens opgekomen. Toen ze het kokende water in het theepotje goot, toen ze wachtte tot de thee getrokken zou zijn.

Haar hand beefde zachtjes. Trillen was te sterk uitgedrukt. Ze zat alleen in de stille kamer, het theekopje naast zich op een tafeltje, een vredig tafereeltje. En opeens was er het besef dat, als er iets fout zou gaan met haar en de baby, het mensen om haar heen zwaar zou treffen, maar haar grootste zorg en medelijden ging naar Werner. Hij verheugde zich op de komende geboorte en hij zag, wist ze bijna zeker, alleen een volmaakte baby voor zich. Een lief, klein kopje, kleine handjes en voetjes. Piepkleine nageltjes aan tien teentjes. Als hij over het kindje praatte, en dat gebeurde dikwijls, praatte hij over een mooi kindje dat op haar leek. Blonde haartjes en lichtgrijze ogen. Maar het was wellicht toch zo dat Werner zich diep in zijn hart zorgen maakte. Dat lag in zijn aard: bezorgd zijn over haar. Maar hij wist dat het goed was die gedachten niet uit te spreken, alsof zij niet besefte wat kon gebeuren.

Ze dronk met kleine slokjes. Ze wist ook waar de zorg vandaan kwam. Ze zag er beelden bij. Ze wilde de namen die daarbij naar voren kwamen naar de achtergrond dringen, daaraan niet denken, maar ze kon ze niet tegenhouden. Wat was gebeurd met Jelle en Jantine... Jelle was vanaf hun jongensjaren een vriend van Werner en Jelle en Jantine waren fijne vrienden van hen samen geweest. Ja, geweest.

Bijna twee jaar geleden wachtten Jelle en Jantine op de komst van hun eerste kindje. Jantine voelde zich goed, ze had gezegd, korte tijd voor de bevalling: „Het is logisch dat ik me af en toe niet prettig voel, maar als je bedenkt wat er in mijn lichaam plaatsvindt, is dat toch heel normaal?"

De bevalling werd een vreselijk drama. Het was normaal begonnen. Ontsluiting, weeën om de drie, vier minuten... Jelle had het in tranen verteld. Opeens keerden de omstandigheden zich. Jantine kreeg hevige bloedingen, er was een dramatisch oplopende bloeddruk, er kwamen hartklachten. Overhaast werd de kraamvrouw in een ambulance met gillende sirene overgebracht naar het ziekenhuis, maar moeder en kind stierven kort na de aankomst op de kraamafdeling.

Ze had vannacht gedroomd. Ze droomde vaker, zoals ieder mens. Meestal kon ze zich weinig van de droom herinneren. De gebeurtenissen die ze in de nacht beleefde, waren bijeenraapselen van wonderlijke voorvallen waar geen touw aan vast te knopen viel. Als ze ontwaakte, kon ze zich van haar dromen dikwijls niets meer herinneren. Soms een enkel detail. Een groot water dat ze had gezien of huizen, vreemde bouwsels met gesloten, scheve deuren en ramen.

Werner en zij hadden over het fenomeen dromen gepraat. Werner had gezegd: „Er zijn altijd mensen geweest die beweerden dromen te kunnen verklaren, te kunnen zeggen wat de betekenis is van alles wat in een droom gezien wordt. Wetenschappers van nu, die zich in dromen verdiepen, want het is een interessant terrein, kunnen er geen verklaring voor geven. Ik denk dat ze voortkomen uit onrust in jezelf, die op een vaak onaangename manier in de nacht een vervolg krijgt. De meeste dromen zijn niet echt leuk. Je bent opgesloten of je weet niet waar je heen moet. Maar het speelt zich wel af in jouw bolletje en daarom veronderstel ik dat het bij jezelf vandaan komt. Het komt voort uit jouw brein, ja toch? Waar moet het anders vandaan komen? Ik denk dat dromen verhalen zijn die je jezelf vertelt."

De inhoud van de droom van de voorbije nacht wist ze na het wakker worden nog precies. Ze was stil blijven liggen en met open ogen zag ze alle beelden opnieuw aan zich voorbij trekken.

In de droom was een kind, dat alleen was in een grote stad. Dat het een grote stad was, was duidelijk te zien geweest aan de vele huizen, gebouwen en mensen die er waren. Het kind was een jongetje met donkerblond, krullend haar. Hij droeg een felrood truitje onder een blauwe tuinbroek. Ze had de bandjes met gespjes over zijn schoudertjes gezien. Hij stond te midden van een dichte drom mensen die op een plein bijeen waren. Donkere mensen met grote, bruine ogen die hem probeerden weg te duwen en blanke mensen met grote blauwe ogen die hem terugduwden, zodat hij op dezelfde plaats bleef staan. Maar wel, door het duwen, bewoog hij voortdurend langzaam heen en weer, opzij... en terug. Zij stond op een verhoging, een bordes of een hoge stoep en ze keek ernaar. En het ging maar door, het ging maar door. In werkelijkheid duurde de droom misschien enkele minuten, voor haar gevoel had het haar de hele nacht beziggehouden.

Ze had zich na het ontwaken opgericht om op het klokje op het nachtkastje te kijken; bijna halfvier. Naast haar sliep Werner. Ze hoorde zijn rustige ademhaling. Ze legde haar hoofd terug op het zachte kussen. Wat ze gezien had, bleef haar bezighouden. Het was een droom, maar de beelden gleden steeds opnieuw in haar brein voorbij.

Ze kon ze deze middag zo weer naar voren halen. De mensen en het jongetje. Het moest Robbie zijn, dat kon niet anders. Over welk jongetje zou zij anders dromen? Ze kende het truitje en de tuinbroek niet, maar zijn bewegen wel. En de schoudertjes, het hoofdje met het donkerblonde haar.

Ze had die nacht niet meer geslapen. In de morgen dacht ze niet aan de droom. Ontbijten, praten met Werner, Robbie douchen en aankleden, maar nu, in het begin van de middag, stilte om haar heen, alleen het geluid van de tikkende klok, nu was de droom teruggekomen. Ze wist waarom deze droom haar werd getoond, waarom ze hem aan zich voorbij liet gaan. Omdat de woorden van Werners uitleg misschien toch waarheid bevatten. Wat dacht ze nu zot! Aan haar werd getoond? Een droom? Dromen zijn bedrog, leerde moeder Ditte. Werner had gezegd: „Ik vermoed dat het beelden zijn uit je eigen denken. Uit je onderbewustzijn."

Werner had destijds gezegd – toen hij nog niet wist van Vincent – dat ze de naam van de vader van het kind moest opschrijven. Dat was belangrijk voor het kind. Als het vreselijke zou gebeuren dat zij stierf, kende niemand de naam van zijn vader. De zorg van Werner voor Robbie had haar toen een warm gevoel gegeven. Nu wist ze dat er ook zorg van haar voor Robbie in verborgen zat. En er waren twee namen... Jelle en Jantine.

Het beeld van het jongetje op het plein uit haar droom. Het gezichtje van het kind had angst uitgestraald. Hij voelde zich bedreigd tussen de vele mensen. Hij kon niet wegkomen, hij kon niet vluchten naar een veilige omgeving. Misschien was er nergens een veilige omgeving voor hem. Gold zijn angst de vele mensen op het plein of waren het alleen de mensen dicht om hem heen? Het duwen en trekken? En, zo realiseerde Eline zich, in die omstandigheden was zijn angst volkomen terecht.

Jelle en Jantine... Twee jaren waren na die vreselijke gebeurtenis voorbijgegaan. De middag waarop moeder en kind werden begraven, was een vreselijke middag geweest. Het zware geluid van de kerkklokken toen de kerkgangers naar het godshuis liepen. Eline naast Werner, hand in hand. Voor in de kerk stond de witte kist waarin het dode lichaam van Jantine lag, in haar armen het dode kindje. Jelle zat tussen zijn twee broers op de eerste rij. Hij zat diep voorovergebogen en huilde. Zijn Jantientje, zijn grote liefde, en hun baby, waarover ze zoveel gepraat hadden, plannen gemaakt, dromen uitgesproken. Namen genoemd. Jelle wilde zijn vader vernoemen, maar Jantien vond de Friese voornaam niet mooi. „Hoe spreken de kinderen op school en op straat hem later aan? Dat wordt Rom!!" Het kindje had de naam toch gekregen. Het stond gedrukt op de rouwkaart. En ons zoontje Romke. Wat maakte het nog uit? Bij God zou Romke een plaatsje gevonden hebben. God schreef zijn naam in zijn handpalm.

Nu was het twee jaar later. Jelle had een vriendin, Anneke. Een vrolijke, jonge vrouw, aardig en lief. Eline kon niet anders over haar denken. Maar Anneke was Werner en haar in het begin van hun vriendschap, zo vreemd geweest. Zij naast Jelle.

„We moeten ons verstand erbij houden, lieverd," had Werner gezegd, „Jelle heeft getreurd om Jantine, dat weten we allebei. Steeds weer praatte hij over haar, over de baby en over hun dood. We wensten allebei dat hij het over zou kunnen geven zoals mijn moeder het noemde, dat hij het verdriet in de handen van de Schepper kon leggen. Die Schepper had Jantine en haar baby van hem afgenomen. Het was moeilijk te aanvaarden, maar er was voor Jelle geen andere weg." Wat hij ook deed, Jantine zou nooit meer terugkeren.

Jelle leefde alleen in zijn huis aan de Rijkersloot. Hij zorgde zelf voor zijn eten en drinken, hij waste zijn kleren en hield het huis schoon. De eerste weken, misschien waren het maanden geweest, was Jantine in gedachten bij hem in het huis. Zijn zus vertelde: „Het was of hij verwachtte dat ze opeens zou binnenstappen. Bij elk geluid van buiten keerde hij zich naar de deur en over zijn gezicht gleed dan een lachje alsof hij wilde zeggen: 'Hallo schat, ben je daar?' woorden waarmee hij Jantine vaak begroette."

De wieg stond nog in de babykamer, de gordijnen met bloemetjes en vogeltjes waren dichtgeschoven. Jelle had een beer in het wiegje gelegd. „Dan is het niet zo leeg."

Maar de tijd heelt vele wonden. Jelle werd zich ervan bewust dat hij alleen zou blijven. De herinneringen aan Jantine gleden langzaam van hem weg. Na anderhalf jaar ontmoette hij Anneke. Ze wist welk drama zich in zijn leven had afgespeeld. Hij praatte met haar, ze kwam in zijn huis, ze luisterde naar hem, ze werd verliefd op hem en Jelle voelde de warmte van de jonge vrouw dicht bij hem, steeds dichter bij hem.

Hij had hun verteld: „Ik ben Jantine niet vergeten, dat begrijpen jullie wel. Ik zal haar nooit vergeten. Maar Jantine is dood en ze blijft dood. Anneke wil met me verder, maar als ik over Jantine blijf praten en denken, zal ze me loslaten. Ze wil niet in de schaduw van Jantine leven. Ze wil een eigen plekje naast mij. En dat begrijp ik. Ik moet mijn leven weer oppakken. Ik moet Jantine loslaten. Mijn moeder heeft het mooi gezegd: 'Haar rust gunnen in de hemel.' Ik wil met Anne verder."

Nadat Jelle die avond was vertrokken, praatten Werner en zij erover door. Dit was het beste voor Jelle. Hij was nog jong, hij kon gelukkig worden met Anneke.

Eline legde haar handen in de schoot. Haar droom kwam terug. Het jongetje met het felrode truitje.

Als zij, net als Jantine, met de baby stierf bij de bevalling, zou Werner een goede vader blijven voor Robbie.

Waren deze gedachten en de onrust voorbodes van zorgen en verdriet? Soms gebeurt het dat een mens een ramp als een dreigend, naderend onheil voelt aankomen.

Als zij... Ze zette het lege kopje terug op het tafeltje. Ze moest opstaan om nogmaals in te schenken. Maar ze wilde niet opstaan. Ze wilde blijven zitten. Ze zat in haar gedachten gevangen; als haar overkwam wat Jantine was overkomen...

Zo mocht ze niet denken, het was niet goed. Elke dag werden er gezonde baby's geboren en gelukkige moeders zorgden voor die kleintjes. Ze voelde zich prima, alles ging goed volgens de dokter, maar dat was bij Jantine ook zo geweest. Jantine dacht ook dat alles naar wens verliep.

Als zij stierf, hoe ging het dan verder met Robbie? Werner zou voor hem blijven zorgen. Ook om de nagedachtenis aan haar. Nagedachtenis... een raar woord. Jelle had na de dood van Jantine wanhopig gehuild, nu was er een andere vrouw in zijn leven. Werner had gezegd: „Ik begrijp het van Jelle. Hij is een fijne kerel en ik ken hem goed. Hij vergeet Jantine beslist niet. Beelden van wat ze samen beleefden zullen nu en dan in zijn gedachten opduiken, maar hij lacht en stoeit met Anneke. Hij wil verder met Anneke. Ze is een lieve, jonge vrouw en ze zullen samen gelukkig worden. Het leven van de man of vrouw die achterblijft na een sterfgeval gaat verder. Jelle is jong, hij is gezond en Anneke betekent veel voor hem."

Ze moest deze gedachte loslaten. Ze maakten haar somber en bang. Het had ook geen nut, of... had het wel nut? Moest ze iets doen voor Robbie voor het geval er iets met haar zou gebeuren? Maar wát dan? Zij was de enige die maatregelen kon nemen. Het was haar kind. Maar waar was ze dan bang voor? Ze wist het. Het was de gedachte aan Jelle en Anneke. In hun relatie was er geen kind. Jelle en Anneke begonnen aan een nieuwe fase in hun leven. Maar als zij stierf en Werner ontmoette na een tijdje een andere vrouw, zou die vrouw voor Robbie een stiefmoeder zijn. Werner hield van Robbie, maar nuchter gezien was Werner toch zijn stiefvader. Haar kind zou stiefouders krijgen. Het kon goed gaan, natuurlijk, maar er waren ook minder goede voorbeelden. Zoals het meisje Lientje uit Rodeveld. Ze was het dochtertje van een jonge weduwe die trouwde met Teun Kolenbrander. Er werd over gepraat in het dorp. „Teun zal blij zijn met zijn jonge vrouw, alleen is maar alleen. En Thea de Wit is met haar kind onder de pannen."

Maar algauw kwamen de nare verhalen. Teun was niet blij met het kind. Moeder Ditte had de geschiedenis in het kort samengevat: „Hij vindt Thea in zijn huis een hele verbetering. Het eten komt op tijd op tafel, er liggen schone kleren in de kast, maar zo'n kakelkind om zich heen was hij niet gewend. Hij heeft te gemakkelijk gedacht over een kind over de vloer."

Thea kon het schelden en slaan niet afwenden.

In hun huis verbleef het geluk, maar wat bracht de toekomst? Moest ze de beslissing nemen haar zoon dan bij Werner weg te halen om hem, bijvoorbeeld, bij Jetske en Frits onder te brengen? Daarover moest ze allereerst met haar zus en zwager praten, het zou officieel vastgelegd moeten worden. Maar als alles goed ging met de bevalling en Werner hoorde van dit besluit, hoe zou zijn reactie dan zijn? Lieve Werner, hij zou diep teleurgesteld zijn. Ze glimlachte. Hij zou het beslist zwaar opnemen, het zien als haar twijfelen aan zijn liefde voor Robbie. Het zou hem pijn doen, maar Werner kon ook niet in de toekomst kijken. Hij zou in ieder geval met zorg een andere vrouw kiezen die haar plaats moest innemen. En het hoefde geen vrouw te zijn die Robbie vaak strafte. Teun Kolenbrander was een extreem voorbeeld, maar een vrouw die Robbie alleen duldde in haar huis, kon voor hem al heel verdrietig zijn. Geen echte liefde voelen. Geduld worden en niet meer dan dat.

Robbie was nu nog een heerlijk ventje, maar hij werd ouder, wie weet welke kant het opging als hij zich in de steek gelaten voelde; kon Werner alles oplossen en daarnaast met zijn vrouw in harmonie leven?

Ze moest erover nadenken, maar de tijd drong, rond half december was ze uitgerekend. Wat kon ze doen? Naar de notaris gaan om er met hem over te praten? Of dokter Westmeyer ernaar vragen?

Ze sloot haar ogen en dommelde, vermoeid en lichtelijk in de war door alle gedachten, even weg tot het rinkelen van de telefoon haar in de werkelijkheid terugbracht. Het zou moeder wel zijn die wilde weten hoe het met haar was. Of het was Mieke met dezelfde vraag. Of de moeder van Werner.

Ze stond moeizaam op. Ja, ja, even geduld, jullie weten dat ik in deze omstandigheden geen slanke hinde ben die naar het toestel sprint. Ze nam op en zei: „Eline..."

Een stem die ze uit duizenden herkende, zei: „Met Vincent. Eline, we moeten met elkaar praten."

„Ik wil niet met je praten en ik wil je niet ontmoeten. Ik wil niets van je horen. Jij hebt jouw leven, ik het mijne."

„Nee, nee, zo is het niet! Wij kunnen niet los van elkaar zijn! Wij zullen nooit los van elkaar komen! Er is een kind waarvan jij de moeder bent en ik de vader."

„Robbie is mijn kind. In de geboorteakte staat: vader onbekend. Door mijn huwelijk met Werner heet hij Hofstra. Werner heeft hem geëcht en is zijn vader. Jij hebt geen enkel recht op hem."

„Zeg niet zulke harde woorden. Je weet beter."

„Hebben Charlotte en jij kinderen?"

„Nee. Charlotte werkt bij het Waterlandmuseum. Een drukke baan. Met anderen beslist ze over nieuwe tentoonstellingen, uitleningen, aankopen en de groep bezoekt andere musea. Allemaal heel interessant. Charlotte voelt zich er heerlijk bij. En ze heeft nog leuke contacten met de meiden uit haar studententijd. Ze tennissen met elkaar, ze winkelen en ze hebben praat- en lachavonden. Charlotte heeft een druk leven. Ze dénkt er niet over dat op te geven om thuis te zitten, een baby de borst te geven en poepluiers te verschonen. Daaraan is ze nog niet toe. Het komt wel, maar voorlopig nog niet. Maar ons kind staat daar los van. We moeten over hem praten."

Ze zei op bitse toon: „Je moet er toch eens over nadenken, dan heb je een kind dat werkelijk van jou is. Ik wil niet met je praten. Wat tussen ons was, is voorbij." Ze verbrak de verbinding en om het voor hem onmogelijk te maken opnieuw contact te zoeken, legde ze de hoorn naast het toestel.

Ze trilde heftig. Dit telefoongesprek na alles wat haar deze middag bezig had gehouden. Alle gedachten en gevoelens en daarbovenop ook nog de stem en de woorden van Vincent. Was dit toeval? In gedachten had ze zijn naam genoemd en hij dacht waarschijnlijk aan haar. Als dat niet zo was geweest, was het telefoontje niet gekomen. Het liep gewoon zo, of was het toch een waarschuwing om te denken aan wat er met Robbie kon gebeuren? En wie of wat gaf die waarschuwing? Of was het iets uit haar onderbewustzijn, kwam het voort uit haar eigen weten wat kon gebeuren als Werner en Robbie achterbleven? Was diep verstopt haar angst er al? Had het gestalte gekregen in de droom, het heen-en-weer bewegende bange jongetje in zijn tuinbroek?

Ze strompelde naar de rotanstoel. Heftig nerveus en geschrokken. Waarom gebeurde dit en was het geen toeval? Een verontrustende droom die haar bleef bezighouden en Vincent, die op dat moment belde. Dat kon geen toeval zijn. Werner was Robbies vader en een betere vader kon ze voor hem niet wensen. Maar nuchter gesproken was het zo dat Werner getrouwd was met de moeder van het kind en daarom was het zijn kind geworden. Als zij uit deze driehoek weg viel en Werner ontmoette na een paar jaar een andere vrouw, wat gebeurde er dan met Robbie?

Het geluid van een claxon deed haar opkijken. De donkerrode auto van Tine Kamphuis stond voor de deur. Ze werd uit haar gedachten gerukt, fantasie en waarschuwingen weken uiteen voor de nuchtere werkelijkheid. Robbie kwam uit school. Gestreept jack, spijkerbroekje, zwarte schoenen. Ze liep naar de voordeur. Robbie holde over het tuinpad naar haar toe. Een papier wapperend in zijn hand: weer een tekening vol felle kleuren, want Robbie hield van felle kleuren. Een zwaai naar Tine. „Bedankt, hé!!" en het antwoord: „Ja goed, tot morgen!!"

Robbie had veel te vertellen en hij wilde even bij mama zitten. Dicht naast haar. Op schoot kon niet meer, mama had het verteld, dat kwam door het kindje in mama's buik. Maar dicht naast haar zitten, haar arm om hem heen, was ook fijn. Weten en voelen dat ze zijn mama was en hij haar Robbie. Eline noemde dit ritueel Robbies thuiskomst. Hij en zij vonden het allebei heerlijk. Haar kleine ventje, haar Robbedoes. Zijn heldere stem, zijn lach, zijn hoofdje tegen haar arm.

Maar al snel liet hij zich van de bank glijden, dribbelde door de kamer en hurkte neer bij de puzzel waaraan hij vanmorgen was begonnen. De puzzel moest afgemaakt worden.

Elines gedachten keerden terug naar het telefoongesprek. Na bijna een jaar belde Vincent, ze had zijn stem weer gehoord, maar het was schrikken geweest.

Zou ze het Werner vertellen als hij straks thuiskwam? Het was emotioneel, ook het onverwachte erin speelde mee, maar als ze alle woorden tussen Vincent en haar op een rij zette, gaf haar dat de overtuiging dat het gesprek nergens naartoe leidde. Ze had hem duidelijk laten weten dat ze niet met hem wilde praten. Het zou narigheid brengen. Onrust tussen Werner en haar en mogelijk onrust tussen Charlotte en hem, als hij haar erover vertelde tenminste. Het was van Vincent een poging met haar in contact te komen. Maar waarom deed hij het? Het had totaal geen zin. Haar bitse antwoord en het afbreken van het gesprek zouden hem toch wel duidelijk hebben gemaakt dat ze geen contact tussen hen wilde.

Het was het beste Werner er niet over te vertellen. Als ze er niet met hem over praatte, kwam er geen gesprek op gang waarbij onderwerpen uit het verleden naar voren kwamen, daaraan had ze in deze dagen geen behoefte. Op zich was het feit belangrijk dat Werner wist van Vincents telefoontje, maar hij zou zich ook afvragen wat er de bedoeling van was. Waarom deed Vincent dit?

Het was nooit met zoveel woorden tegen elkaar gezegd, maar er was toch de afspraak eerlijk tegen elkaar te zijn. Maar dit kon ze beter nog even voor zich houden. Het zou bij Werner argwaan oproepen. Hij zou zich afvragen wat het haar had gedaan Vincents stem te horen. „Ik moet met je praten." Wat wilde hij haar zeggen? Ze grijnsde, was ze er nieuwsgierig naar? Ja, toch wel. Het was tenslotte Vincent die de woorden gezegd had.

De avond ging voorbij zoals veel avonden voorbij waren gegaan. Ze had voor de maaltijd gezorgd en de tafel gedekt. Werner bracht de schalen binnen. Robbie vertelde over wat in de klas was gebeurd. Werner praatte over de mensen van de bank. Zij had niets te vertellen. De hele dag rustig bezig in de huiskamer en de keuken. Maar alles was goed.

Werner bracht de vuile borden en de lege schalen naar de keuken, ruimde op en zette de vaat in de afwasmachine. Hij bracht Robbie naar bed. Terug in de kamer ging hij naast haar op de bank zitten. „Was het een moeilijke dag, lieveling? Ik heb aan je gedacht. Ik wilde in gedachten bij je zijn. Heb je dat gevoeld?"

Ze lachte naar hem. „Natuurlijk!"

Werner zei: „De laatste loodjes wegen het zwaarst. Zou dat gezegde zijn oorsprong hebben in het verlangen van aanstaande moeders naar de laatste dag van hun zwangerschap?"

„Ik geloof het niet, maar onmogelijk zou het niet zijn!"

De volgende middag belde Vincent weer.

Toen ze had opgenomen en haar naam had gezegd zei hij: „Je mag niet afbreken, Eline. Ik moet met je praten. Ik heb gisteren begrepen dat een afspraak op een rustig plekje er niet inzit, maar het kan ook via de telefoon. Als jij me maar hoort. Ik heb bijna vijf jaar aan je gedacht en naar je verlangd."

„Jij hebt het contact verbroken."

„Ik vertelde je welke zorgen er waren met mijn vader en met de zaak, maar jij vertelde mij niet wat je me moest vertellen!"

„Zo was het niet! Jij praatte inderdaad over je vader en de zorgen over het bedrijf, maar je voegde er onmiddellijk aan toe dat je de beslissing al had genomen om je vader en het bedrijf te redden. Je kon niet anders. Je ging trouwen met Charlotte en het geldschip met een prima kapitein aan het roer zou het Holgendiep binnenvaren." Ze hoorde zelf hoe boos en opgewonden haar woorden klonken. Hij moest weten wat de waarheid was. Ze ging iets kalmer verder: „Jij hebt gekozen. Voor mij was niets te kiezen. Daarom heb ik niets gezegd. Het had geen zin. Jij had je besluit al meegedeeld aan je ouders, je aanstaande schoonouders en aan Charlotte. Wij hadden elkaar niets meer te vertellen."

„Je hebt gelijk, maar ik kon niet anders dan deze beslissing nemen. Mijn vader dreigde geestelijk een wrak te worden en voor het bedrijf dreigde een faillissement. Maar denk niet dat ik me een held voelde omdat ik me opofferde!! Ik voelde me miserabel, want ik besefte heel goed dat ik jou ervoor had opgegeven! Jij verdween uit mijn leven." Hij zweeg even, ze wist: nu haalt hij diep adem. Hij vervolgde: „Toen ik jou en het kind zag in Walkenaar, draaide voor mijn gevoel mijn hart zich vele malen om in mijn lijf. Het kon niet anders dan dat de jongen die voor jou stond, een zoon van mij en jou was. Ik rende in wanhoop tussen de mensen op het plein door om jullie te vinden en dat lukte. Je beloofde me te bellen. We hebben elkaar daarna gesproken. Ik begon zo hoopvol aan dat gesprek!! Ik zag een grote kans alles terug te draaien en het was mogelijk geweest, Eline, het was mogelijk geweest!! Willem Zandbergen zou het bedrijf niet meer loslaten. Hij was erin gedoken, hij had het opnieuw op poten gezet en hij was er intussen mee vergroeid. Jij wilde niet, maar het had gekund!

Voor Charlotte was ik niet de romantische echtgenoot die ze zich gedroomd had, maar ze accepteerde me wel. We hebben elk ons eigen leven. Haar dagen zijn vol met haar werk, de vriendinnen zijn belangrijk en ik ben een leuke aanvulling op alles. Ze hoeft niet alleen de schouwburg binnen te gaan, er loopt iemand naast haar. Als ik haar na ons gesprek in De Lantaarn de waarheid had verteld, had ze me mijn vrijheid teruggegeven. En ik verwachtte dat jij mij terug wilde, juist omdat er een kind van ons samen is."

„Dat wilde ik niet en dat wil ik nog niet. Ik ben met Werner getrouwd en ik hou van hem. Het is een andere liefde dan die ik destijds voor jou voelde, maar we moeten wat betreft de liefde die we toen voor elkaar voelden, rekening houden met het feit dat we jong waren. We koesterden grote verwachtingen van het leven. We hadden dromen die waar konden worden, we konden alles aan. Het was voor jou en mij de eerste, echte liefde. Een belevenis, het overspoelde ons. Maar jij weet intussen ook dat het leven niet alleen rozengeur en maneschijn is. Dat is niet erg. Ik heb het ondervonden. Ik ben nu gelukkig met Werner. En na wat jij vertelde over je huwelijk met Charlotte geloof ik dat jouw leven ook goed is."

„Redelijk. Maar het is anders dan jouw huwelijk. Jij, lieve schat, vergeef me dat ik dit even zeg, jij kunt meer liefde geven. Charlotte heeft een grote liefde voor zichzelf en ze wil nog meer liefde krijgen." Weer even een korte stilte, toen: „Maar, Eline, ik wil met je praten over ons kind. Ik begrijp dat Werner goed voor hem is. Als dat niet zo was, was jij niet met hem getrouwd en niet bij hem gebleven. Het is voor mij de garantie dat het leven goed is voor mijn zoon. Want bedenk dat deze jongen ook mijn zoon is. Ik heb nu geen rechten op hem, maar zeker is dat ik mijn vaderschap kan bewijzen. Vat dit niet als een bedreiging op, ik hou nog steeds van je, jij bent en blijft mijn grote liefde en ik wil jou op geen enkele wijze pijn doen. Maar, Eline, ik wil mijn zoon volgen. Ook al krijgen Charlotte en ik ook kinderen, dan nog wil ik Robbert blijven volgen. En, luister naar me, ik zal hem helpen als er moeilijkheden voor hem komen. Met jou is er een bloedband, met Werner niet. Als er met jou iets gebeurt, elk mens kan sterven, staat hij alleen in het leven. Dan zal ik er voor hem zijn."

Eline hing zacht trillend van spanning en emotie in de stoel. De droom, haar gedachten en het besef dat juist in deze dagen Vincent zich meldde, vloeiden ineen.

„Vincent, ik ben in verwachting. Het zal niet lang duren voor de baby geboren wordt. Ik heb naar je geluisterd en ik weet nu hoe je erover denkt. Ik ken je tenslotte. Laat me in elk geval drie, vier maanden met rust. Daarna kunnen we een afspraak maken en als volwassen mensen met elkaar praten."

„Werner is een gelukkig man met een vrouw als jij, een zoon als Robbie en een komend kindje. Ik wens je veel sterkte in de komende dagen. Ik bel je over drie maanden. Dag, meisje van me, dag Elientje..." Ze hoorde de emotie in zijn stem. Ze legde de hoorn met een langzaam gebaar terug op de haak.

Eline voelde zich ongemakkelijk. Het einde van de zwangerschap naderde. Dokter Westmeyer had wel de te verwachte datum gesteld op twintig december, „maar je weet dat de natuur deze gebeurtenissen regelt. Mijn wijze tante Marie zei vroeger: 'Een kind komt als het klaar is,' en dat is in de meeste gevallen ook zo. Dus, afwachten, moedertje! Maar het worden moeilijke weken voor je, dat staat vast."

Aan de tuinzijde van het huis was een kamer omgetoverd tot babykamer. Deuren en raamkozijnen waren zachtgeel geschilderd en ze had voor rustig, bijpassend behang en pastelkleurige gordijnen gekozen. Een prachtige wieg, een grote commode en een kast voor de kleertjes.

Eline had gezegd dat het wel eenvoudiger kon, maar Werner wilde dolgraag het komende kindje uitbundig ontvangen. Eline vond al dic dure spulletjes wel mooi, daarom ging het niet, maar een gezonde baby groeide snel en moest meestal na drie, vier maanden van de wieg overgebracht worden naar een ledikantje.

Deze morgen, veertien december, was ze alleen in huis. Werner was op de gebruikelijke tijd naar de bank gegaan. „Je belt me onmiddellijk als er iets is..." en Tine Kamphuis had Robbie meegenomen naar juf Stieneke.

Eline liep van de keuken naar de kamer toen ze een stekende pijn in haar buik voelde. Even zitten, even afwachten, maar ze geloofde niet dat dit een wee was. Ze had tenslotte enige ervaring; een wee was heftiger. Maar het was wel een nare pijn. Toen de pijn zich herhaalde, besloot ze Werners moeder te bellen. Ze kon ook haar eigen moeder bellen, maar moeder Ditte was sneller in paniek en in opgewonden toestanden had ze geen zin. Ze belde Hermine Hofstra. Een lieve, rustige vrouw; niet zo snel van de wijs gebracht.

„Met Eline. Ik ben alleen in huis en er is, denk ik, niets bijzonders aan de hand, maar ik heb wel pijn in mijn buik. Nog geen weeën want ik weet hoe die voelen, maar..."

„Lieverd, ik kom direct naar je toe. Dan ben je niet alleen en dat geeft een rustig gevoel. De auto staat voor de deur, ik ben binnen tien minuten bij je."

Acht minuten later stopte de kleine, grijze auto – Werners moeder noemde hem mijn muis – voor het huis.

„Fijn dat u er bent."

„Het was verstandig me te bellen, want je weet in deze omstandigheden niet wat plotseling kan gebeuren. Ik ken verhalen van heel rappe bevallingen! Ik zal ze je besparen, je hebt er nu vast geen belangstelling voor, maar het kan soms heel snel gaan met de komst van een baby." Hermine Hofstra zei al deze woorden lachend. „Nu ik bij je ben kan ik boodschappen doorgeven als dat nodig is. Heb je zin in koffie? Of drink je liever thee? Kom, ga op de bank zitten, je ziet echt een beetje bleek."

Ze dronken thee, aten er een paar biscuitjes bij en praatten over onbelangrijke onderwerpen, maar de pijnen kwamen terug.

„Zal ik dokter Westmeyer bellen om te zeggen wat hier gaande is?" stelde Hermine Hofstra voor. „Ik verwacht toch dat de baby vandaag geboren gaat worden. Ik heb tenslotte enige ervaring op dit terrein, als moeder en oma. En dan weet de dokter ervan. En ik vind dat Werner moet weten wat er aan de hand is."

Eline knikte. Werner nam aan dat alles rustig was in huis zolang zij hem niet belde. Nu was het niet rustig meer.

Een kwartier later kwam hij thuis. „Fijn dat je moeder gebeld hebt, lieveling." Hij kuste haar.

„Ja. Ik ben dikwijls eigenwijs, maar in een situatie als deze niet.

Dokter Westmeyer kwam langs. Hij zou het kraamcentrum waarschuwen.

Robbie kwam uit school, opa Tom kwam een broodje meeeten. Eline wilde op een gegeven moment naar de slaapkamer, Werner hielp haar de trap op.

Uren gingen voorbij. In het begin van de avond – de dokter schreef de juiste tijd op: twintig minuten over zeven – werd het kindje geboren. Een meisje, dat direct met een schril stemmetje huilend te kennen gaf dat ze op de wereld was.

Werner had het hele gebeuren met angst, verbazing en bewondering gevolgd. De geboorte van zijn kind, de pijn van Eline, en hij kon weinig doen.

Dokter Westmeyer begeleidde Eline, gaf aanwijzingen en sprak haar moed in. „Het gaat goed, Eline, het gaat goed, je doet het prima..." en opeens: „Ja, moedertje, nu persen, doorzetten, daar komt het kindje..." en met zijn twee handen omvatte de arts het kleine lichaampje. Eline trilde, zweette en huilde. Maar ze hoorde de stem van de dokter: „Een meisje, een klein meisje."

Werner knielde bij het bed. „Lieveling, een dochter voor ons!"

Na ruim een uur lag Eline moe, maar gelukkig in een schoon bed. De kraamverzorgster had de baby voorzichtig met olie schoongemaakt en een truitje aangetrokken. Gewikkeld in een dekentje, een wit mutsje op het hoofdje, bracht zuster Jenny het kindje bij Eline. Werner zat naast het bed.

„Mama," zei de verpleegster, ze lachte erbij, „het is nu tijd voor het eerste onderonsje tussen moeder en dochter. Daarna gaan beiden een tukje doen. Het is een mooi, gaaf kindje. Onder het mutsje, het mag wel even af, heeft ze, net als mama, blonde haartjes."

Eline keek naar haar dochter. En Werner, hij was op de rand van het bed gaan zitten, keek met haar mee naar het wonder dat hun dochter was.

Dokter Westmeyer stond aan de andere kant van het bed. Hij wilde vertrekken, hij moest nog langs een patiënt voor de nacht begon. Hij vroeg: „Hebben jullie al een naam gekozen voor dit meisje?"

„Het was voor ons niet moeilijk. Allebei vinden wij Yvonne een mooie naam voor onze dochter."

„Het ís ook een mooie naam, Yvonne Hofstra."

Robbie kwam bij zijn zusje kijken. Hij stond tegen Werner aangeleund bij de wieg en keek verbaasd naar de baby. „Ze is erg klein, papa. Vind jij het wel leuk, zo'n heel klein kindje?"

„Lieve schat, ze wordt snel een grote meid! Toen jij geboren was, was je ook zo'n kleine baby en kijk eens hoe groot en flink je nu bent!"

Het leven was voor Eline behoorlijk veranderd. Voor de komst van de baby had ze een rustig leventje en tijd voor zichzelf als Werner naar de bank was en Robbie naar school. Ze naaide kleertjes voor haar zoon, er was tijd om te lezen, tijd om met moeder of Mieke koffie te drinken. Ook Marianne kwam nu en dan binnen vallen of zij stapte in de auto om naar Rodeveld te gaan. En, natuurlijk, winkelen. Borgerkarspel had een gezellige binnenstad.

Nu waren de dagen gevuld met het verzorgen van de baby,

het huis schoon houden, de was en het eten, noem maar op, maar ze deed alles met plezier. Ze was gelukkig. Ze wist: in dit huis woont een gelukkig gezin.

Yvonne was nu drie maanden. Het was de twaalfde maart. Ze was een mooi kindje. Een rond kopje, lichtblauwe ogen waarin Werner al een tikkeltje grijs ontdekte, een klein mondje en blond haar.

Drie maanden na de dag waarop Vincent had gebeld. Ze had hem gezegd haar drie maanden met rust te laten. Ze vermoedde dat hij zich snel zou melden.

Nadat ze de baby in badje had gedaan en de fles had gegeven legde ze het kindje in de wieg. Na alle belevenissen was het kleintje aan een slaapje toe. Eline keek naar het kopje op het witte kussensloopje, de oogjes gesloten, het duimpje in het mondje. Lichte, smakkende geluidjes.

Ze ging terug naar de huiskamer en ruimde één en ander op. De ochtendkrant, die naast de bank op de grond was gegleden, speelgoed van Robbie waarmee hij voor schooltijd nog even bezig was geweest, de agenda van Werner die op de tafel lag maar op het bureau hoorde. Ze zette het koffiezetapparaat aan. Toen de koffie klaar was, schonk ze in, liep met de kop in haar handen naar de kamer en ging op de bank zitten.

Haar gedachten dwaalden naar Vincent. Ze voelde spanning, maar het was geen angstige spanning. Toen hij haar de eerste maal overviel, was ze geschrokken van zijn stem, Vincent aan de lijn; ze had in vijf jaren niets van hem gehoord. Hij was ook heftig geëmotioneerd en ze had door de schok niet geweten wat te zeggen, de verbinding verbroken. Maar ze wist dat het daardoor niet voorbij zou zijn.

Het gesprek van de volgende dag was beter verlopen, hoewel Vincent daarin duidelijk had gemaakt wat hij wilde: Robbie volgen. Hij had gezegd dat hij, als hij vond dat het nodig was, zijn vaderschap zou kunnen aantonen. Eline geloofde dat, maar ze wisten beiden dat Robbie zijn zoon was.

Die twee gesprekken speelden zich voor de geboorte van Yvonne af. Ze voelde zich in die dagen niet lekker, ze was in de ban van de droom die haar een eenzame, bange Robbie had laten zien, heen en weer geduwd door vreemde mensen, en ze vroeg zich af: hoe kwam ze tot die droom. Kwam hij voort uit gedachten die haar angstig maakten? Wetend wat kon gebeuren, maar het wegstoppend om de waarheid niet onder ogen te hoeven zien. Of blindelings vertrouwend dat alles goed zou gaan. Gelovend dat God haar nabij zou zijn, maar wetend dat God vaak anders over zijn mensenkinderen besliste.

Was de droom een waarschuwing uit haar onderbewustzijn? Als het niet goed met haar ging, kon Robbie de dupe worden. Ze moest handelen. In de droom manifesteerde haar angst zich.

Werner had gezegd: „Dromen spelen zich af in het brein. Ze komen niet van buiten, dromen moeten in jezelf bronnen hebben." Ze zag er toen een voorspelling in, ze was hoogzwanger, een beetje labiel, ze bedacht het nu met een lachje terwijl ze met kleine slokjes van de koffie dronk. Angst dat er tijdens de bevalling iets verkeerd zou gaan, gedachten aan Jantine en juist in die dagen Vincent horen zeggen dat hij zou waken over Robbie. Alles sloot op elkaar aan, ging in elkaar over, de droom, de angst, de moeilijke omstandigheden. Maar nu was alles anders. Ze was gezond, moeder van een zoon en een dochter en Werner was de vader van deze kinderen.

Misschien wilde Vincent in de toekomst alleen maar toekijken. Of, misschien, was het een manier om contact met haar te houden, iets van spijt over zijn beslissing van destijds kon meespelen, maar alles zou anders worden als Charlotte zwanger raakte.

Het was het beste Vincent niet tegen zich in het harnas te

jagen. Hij had ontegenzeggelijk troeven in handen. Over een tijdje zou hij misschien beseffen dat het gebeuren van vijf jaar geleden – als Charlotte daarvan zou horen – een slechte invloed kon hebben op zijn huwelijk.

Toen ze het lege koffiekopje op de tafel had gezet, rinkelde de telefoon. Ze wist dat het Vincent was. Ze nam op. „Eline Hofstra." Ze hoorde dat ze een licht, zangerig toontje in haar stem legde, bijna zoals moeder Ditte dat deed, maar haar toontje was minder opvallend.

„Met Vincent. Hoe is het met je, Eline, en hoe zijn de omstandigheden bij jullie?" Zijn stem had de vriendelijke klank van vroeger.

„Goed, Vincent, heel goed," ze zei het opgewekt, „we hebben een dochter! Een gezonde, mooie dochter."

Hij wilde zeggen: een mooie moeder, een mooie dochter, maar hij zei: „Van harte gefeliciteerd! En je moet ervan overtuigd zijn dat ik dit eerlijk meen. Ik gun je dit geluk. Op de achtergrond verberg ik de waarheid dat ik in romantische dromen heb gehoopt dat wij eens de ouders zouden zijn van een zoon en een dochter, maar ik weet hoe en waarom aan die dromen een einde is gekomen. We kunnen wat gebeurd is niet ongedaan maken. Jij hebt nu met Werner een kindje, dat is een verbond tussen hem en jou. We gaan elk verder met ons eigen leven. Maar ik heb je in ons vorige gesprek al gezegd dat jij en ik nooit los van elkaar zullen zijn. Wij hebben ook een kind. De jongen blijft ons ons verdere leven aan elkaar verbinden. Jij wilt misschien dat ik hem loslaat, maar ik wil en kan dat niet. Jij hebt hem elke dag om je heen, maar ik zal hem vanaf een afstand volgen."

Eline wist: hij heeft de woorden die hij wilde zeggen, ingestudeerd. Met een klein binnenpretje: hij had er drie maanden de tijd voor.

Ze antwoordde hem: „Je bent getrouwd, Vincent. Er komen voor Charlotte en jou hopelijk ook kinderen."

„Ik wil het graag, en ook," ze hoorde door de lijn zijn lach, „omdat mijn ouders zonder het uit te spreken naar een kleinkind uitzien. Je kent de Palensteyn-geschiedenis, het verlangen naar een groot bedrijf en het besef dat er een opvolger nodig is.

Ook Charlottes ouders vinden het tijd worden voor een baby. Vader Willem heeft het al enige malen gezegd, cru aan de ene kant, lachend aan de andere kant: 'Waarvoor ben ik met deze handel bezig? Voor de toekomst!! Voor een jonge Palensteyn die over twintig jaar het roer kan overnemen. Een kleinzoon van onze vrienden Frederik en Hedda en van Louise en mij.' Charlotte lachte op dat moment wel hartelijk mee, maar, hoe zeg ik het, daar blijft het bij.

We zijn allebei bezig met dingen die ons interesseren. Ik onderhoud contacten met onze afnemers en dat is belangrijk. Het zijn de bedrijven die het geld binnenbrengen. Ik zoek nieuwe contacten. We leveren door het hele land, tot in België toe. Flinke orders gaan ook naar de doe-het-zelf zaken. Voor ons zijn de bouwmarkten leuke klanten. Ik ben vaak onderweg en ik kom pas in de avond thuis."

Vincent praatte door om voor Eline rust te brengen in het gesprek. Hij besefte dat wat hij duidelijk had gemaakt, voor haar een moeilijk dilemma kon worden. Mogelijk was voor haar niet het belangrijkste probleem dat hij Robbie binnen zijn leven wilde houden. Ze kende hem goed, ze begreep dat, nu hij het wist van zijn zoon, hij het kind niet uit zijn leven liet gaan. Maar hoe moest ze dit aan Werner duidelijk maken? Vertellen of niet vertellen? Door het te vertellen riep ze mogelijke wrijving op, want op welke manier wilde Vincent dat doen? Maar het niet vertellen betekende tegenover haar man iets heel belangrijks verzwijgen.

Vincent praatte verder: „Vrijwel elke vrijdagavond is ons

huis vol vrienden en vriendinnen. Charlotte knoopt graag vriendschappen aan met de mensen die ze ontmoet. In het circuit rond het Waterlandmuseum lopen veel artistiekelingen rond die interessant zijn om mee te praten. Ze legt, in mijn ogen, meer contacten dan normaal is. Ze nodigt iedereen uit naar ons huis te komen. Zij is daar het stralende middelpunt. Toch is het dikwijls oergezellig. En het gaat nooit te ver wat drank of verkeerde opmerkingen betreft. Dat houden Charly en ik in de gaten, want we willen het geen van beiden. De avonden beginnen niet vroeg, en eindigen dus ook laat en de volgende morgen hebben we tijd nodig om tot onszelf te komen en over de gesprekken en de nieuwtjes na te praten.

Ik hou van Charlotte. De jaren van onze jeugd en de herinneringen daarbij vertellen dat ze altijd in mijn leven is geweest. Maar het zijn andere gevoelens dan wat ik voor jou voelde en nog steeds voel. Het is goed tussen ons, maar als je weet wat echte liefde met je doet, ken je het verschil. En ik ken het verschil.

Ik denk dat Charlotte voelt dat zij voor mij niet de echte, grote liefde is zoals zij, voor we trouwden, wist dat ik dat voor haar was. Ik weet niet in hoeverre ze daarbij aan jou denkt. Ze heeft je ontmoet, maar ze heeft in die tijd meerdere jongens en meisjes in de flat ontmoet. Toch voelt ze dat het tussen ons niet het grote geluk is. Ze verbergt een deel van haar teleurstelling in die feestavondjes. Ze dompelt zich onder in haar werk en in de vriendschappen met de mensen die ze om zich heen verzamelt. Maar het is niet zo dat het onechte vriendschappen zijn. Ze zijn waardevol."

Even was het stil aan de andere kant van de lijn, toen zei Vincent: „Ze weet het niet van Robbie. Als ze het wel hoort, betekent dat het einde van ons huwelijk. Ze zal het voelen als ontrouw van mij, hoewel zij en ik in de tijd toen het gebeurde, niet met elkaar omgingen als twee mensen die samen in het huwelijksbootje zouden stappen. We waren studenten, serieus bezig met de studie, maar we gingen ook graag uit. Achteraf weet ik dat Charlotte meer over ons droomde dan dat ik deed. Ik deed dat helemaal niet, ik droomde over jou."

Even een stilte, toen zei hij: „Eline, we moeten elkaar ergens ontmoeten. We moeten hierover praten. We moeten bedenken hoe ik Robbie kan volgen, want van dat voornemen ben ik niet af te brengen. Doe daar dus geen moeite voor. Maar Charlotte mag niets van de jongen weten. Zij is niet ongelukkig in ons huwelijk omdat ze er haar eigen weg in uitstippelt. Ik geloof ook dat zij en ik steeds meer naar elkaar toegroeien: het komt wel goed."

„Het is onmogelijk op korte termijn een afspraak te maken. De baby is drie maanden oud. Het is een klein poppetje dat vaak huilt. Ik moet bij haar blijven. En ik weet niet of ik je wil ontmoeten en of ik aan jouw plan wil meewerken. Je hebt gezegd dat we elk verder moeten met ons eigen leven. Doe dat dan ook."

„Ik ben de vader van je zoon." Hij zei het op plechtige toon.

„Het is beter hem los te laten, Vincent. Je kent mij goed genoeg om te weten dat ik door dik en dun voor hem zal zorgen."

„Vanaf de zaterdag waarop ik het kind voor de eerste keer zag, is hij niet meer uit mijn gedachten geweest. Op de achtergrond is hij voortdurend aanwezig. Zolang het goed met hem gaat zal ik niets doen, maar zodra ik ontdek dat hij problemen heeft, zal ik er voor hem zijn. Ik ben net zo verantwoordelijk voor hem als jij. Jij bent de moeder, ik ben de vader."

Hij zweeg even, toen kwam hij terug op haar woorden. „Ik begrijp dat het voor jou niet gemakkelijk is een middag of een avond weg te gaan om met mij te praten, tenminste, als je daarover niets aan Werner wilt vertellen. We houden het daarom voorlopig bij telefoongesprekken. Het zal de eerste jaren voor mij ook niet nodig zijn in te grijpen. Jij bent een zorgzame moeder voor je twee kinderen. Werner is een goede vader voor beiden. Een jongetje van vijf jaar geeft meestal nog niet veel problemen. We kunnen dus voorlopig mijn inbreng op een laag pitje zetten," hij lachte, „ik bel je nu en dan. Intussen probeer ik mijn huwelijk op het goede spoor te houden. Charlotte en ik zijn aan elkaar gewend. We hebben veel gemeen, en er is in elk geval vriendschap en respect. Hopelijk wordt het zo dat we er allebei prettig mee kunnen leven.

Eline," hij sprak haar naam uit met onrust in zijn stem, „ik hoor voetstappen in de gang. Tot later," en de verbinding werd verbroken.

Eline zuchtte. Wat moest ze doen met alles wat Vincent had gezegd? Nu hij van het bestaan van zijn zoon wist, was hij terecht geïnteresseerd in het jochie. Ze had niet anders verwacht. Vier jaar lang had hij geen contact gezocht; hij had een streep getrokken onder hun relatie. Maar het bestaan van Robbie veranderde alles.

Ze was blij dat hij niet eiste nu contact met het kind te hebben. Hij begreep dat dat te veel verwarring en onrust voor de kleine jongen mee zou brengen. Maar hij wilde hem in de toekomst volgen. Hoe zou hij dat willen doen? Bij het schoolhek toekijken hoe zijn zoon met vriendjes speelde? In de gaten laten houden hoe het er in hun huis aan toe ging? Och nee, dat deed Vincent niet. Hij had gezegd dat hij erop vertrouwde dat, zolang het kind nog klein was, alles naar wens verliep.

Ze liet de woorden in zich naklinken en ze stelde vast dat het het beste was voorlopig niets te ondernemen. Zwijgen en afwachten. Niets over het gesprek vertellen aan Werner; het zou hem onrustig maken. Wie weet ging het steeds beter tussen Charlotte en Vincent. En door de komst van Yvonne was het Vincent duidelijk dat terugdraaien niet meer mogelijk was. Dan zou er een andere vader zijn die zijn dochter wilde volgen.

Ze glimlachte er stilletjes om. Niets doen en afwachten was inderdaad het beste.

3

Ruim drie jaren gingen voorbij. Robbies achtste verjaardag werd gevierd. Hij ging nu naar basisschool De Hoeksteen. Het gebouw stond om de hoek, Robbie kon er over de stoep van de Vondellaan en de Violenstraat heen lopen. Hij deed dat elke schooldag met Nicky van Harlingen. Nicky woonde twee huizen verder in de laan. Ook Tommy de Vries liep dikwijls met hen mee. Tommy's moeder keek dan toe hoe haar zoon de rijweg overstak. Als hij zijn vriendjes bereikt had, zwaaide ze het drietal na.

Robbie ging met plezier naar school. Hij zat in de klas bij juffrouw Groen en hij kon goed opschieten met de klasgenootjes. Het fijne van school was dat hij veel leerde. Rekenen vond hij interessant. Aanvankelijk zag hij helemaal niets in getallen, het waren bochtjes en lijntjes, maar nu hij ze beter kende en wist van optellen en aftrekken, maakte hij er puzzeltjes van.

Maar het fijnste van alles was dat hij lezen had geleerd. Als de woorden niet te moeilijk waren – en dat waren ze in de kinderboeken niet – hoefde hij papa en mama niet te vragen hem voor te lezen. Dat gebeurde evengoed nog wel. Lekker bij papa op schoot en een spannend verhaal horen over ridders en kasteelheren. Nou, dat waren niet echt lekkere jongens! Of naast mama op de bank. Mama koos andere verhalen dan papa. Robbie noemde ze lieve verhalen, soms waren ze zielig.

Yvonneke, zoals zijn zusje werd genoemd, was nu drie. Blond haar, grote blauwe ogen, levendig en druk.

Deze morgen, kort na tien uur, hield Eline koffiepauze. Kopje koffie, koekje erbij, even rust. Yvonne speelde met haar poppen en beren, het huis was opgeruimd, de wasmachine draaide, de zon scheen; het beloofde een mooie dag te worden. Ze maakte een plannetje voor vanmiddag. Boodschappen doen, bij oma Hermine een kopje thee drinken en weer op tijd thuis zijn voor Rob uit school kwam.

Ze leunde tegen de rug van de stoel en luisterde naar het hoge stemmetje van haar dochter, die één van de poppen niet bepaald vriendelijk toesprak. Doortje was beslist stout geweest.

Ze keek op toen ze vanuit een ooghoek een auto voor het huis zag stoppen. Ze zag Mieke uitstappen. Mieke kwam vrijwel nooit onverwachts. Ze had daar op een gedecideerd toontje een verklaring voor gegeven. „In de eerste plaats vind ik het zelf niet prettig overvallen te worden, want zo is het toch? Je bent met iets bezig, maar je kunt er niet verder mee, bezoek op de stoep! Een ander regelt jouw tijd. In de tweede plaats rij ik niet graag van huis naar hier als ik niet zeker weet dat je thuisbent." Eline had instemmend geknikt, maar zelf vond ze onverwacht bezoek wel prettig.

Mieke liep om het huis heen. Yvonne hoorde geluiden, sprong overeind, keek door het raam. „Tante Mieke!" Ze rende naar de achterdeur. „Tante Mieke, komt Dieneke ook?"

Maar het antwoord was: „Nee, lieverd, Dieneke moet naar school." Yvonne liep terug naar de poppen.

De zussen begroetten elkaar. Eline schonk koffie voor Mieke in.

„Ik val onverwachts bij je binnen," Mieke keek haar zus met een zorgelijke blik aan, „maar ik moet met je praten over wat er aan het Buitenpad in Rodeveld aan de hand is." Ze kwam meteen maar met de feiten op tafel: „Het gaat de laatste tijd niet goed tussen vader en moeder."

Eline keek verbaasd. „Niet goed tussen vader en moeder? Het is altijd prima gegaan tussen hen, een tof stel, twee handen op één buik. Wat is er dan?"

„We weten niet wat er aan de hand is. Jan en ik hebben erover gepraat, want het rommelt al een poosje. Of er iets tussen die twee is voorgevallen, is ons niet bekend, maar goed gaat het in elk geval niet. Je weet dat Jan voor veel dingen snel een verklaring heeft. Hij zoekt het in de richting van de stilte in huis. Daar is een uitdrukking voor: het verlaten-nestsyndroom. Toen wij drieën thuis waren was er altijd leven in de brouwerij en voor vader en moeder altijd een onderwerp om over van gedachten te wisselen. De tijd dat Jet en ik met vriendjes thuiskwamen en daarna de strubbelingen met jou en Robbie, hadden ze genoeg aan hun hoofd. De laatste jaren is het anders geworden. We zijn alle drie getrouwd, het gaat goed met ons en wij bepraten wat ons bezighoudt met onze mannen. Vader en moeder staan erbuiten.

We vertellen hun wel het één en ander, zoals over de verbouwing bij Jetske en Frits. Alleen niet dat dat met de nodige strubbelingen gepaard ging. Ook over andere onderwerpen waren er geen gesprekken. Zoals over het verdriet van Frits en Jetske omdat er bij hen geen kindje geboren wordt. Vader en moeder vinden dat ook verschrikkelijk. Op een dag schijnt moeder er iets over gezegd te hebben, maar Jet hakte het gesprek nogal bruut af. Moeder stelde voor een kind te adopteren, maar dat willen Jet en Frits beslist niet.

Jan denkt dat, nadat wij uit huis zijn gegaan, de eerste tijd nog wel veel tussen vader en moeder over al die dingen is gesproken, maar op een gegeven moment schijnt vader gezegd te hebben dat dat praten geen zin had omdat de beslissingen al genomen waren. Ze werden in veel dingen niet meer gekend. Maar dat is logisch, ja toch? Als Werner en jij een andere auto willen kopen, praat je daar met elkaar over, je legt het niet aan vader en moeder voor."

Eline knikte. „Waarop is het uit gelopen dat jij er zo ongerust over bent?"

„Een paar weken geleden is moeder bij me geweest en ze

vertelde dat het nu zo is dat vader en zij heel korte gesprekjes hebben over het weer. Ja, mooie dag vandaag. Soms komt de vraag: 'Wat zullen we eten?' Maar daarover neemt moeder al jaren de beslissing en vader vindt alles goed. Er is dus geen discussie nodig. Als moeder kleine nieuwtjes uit het dorp vertelt, om toch iets te zeggen, zegt vader dat het hem niet interesseert wat vreemden doen. Zo heeft hij het gezegd. Daaruit is op te maken dat het verband houdt met wat wij, zijn eigen volkje, niet vertellen over ons doen en laten. Wat er speelt aan zorgen, bij jou bijvoorbeeld, over Robbie, of over je leven met Werner."

„Eerlijk zijn, Mieke, wat dit aangaat, heeft vader te vaak en te heftig gezegd wat hij van Werner vond en vindt, en hij weet ook te snel wat er gedaan moet worden!"

„Moeder vindt ook dat vader veranderd is. Ze zei eerst dat hij chagrijnig was, maar dat woord nam ze terug, het was meer nukkig, er is te vaak een nare toon in zijn woorden en hij is snel beledigd en boos."

„Ik kan me vinden in Jans redenering. Vanaf onze kinderjaren legden we alle verdrietjes en vragen en problemen bij vader en moeder neer en die zorgden dat het opgelost werd. Het gaf ons een veilig gevoel. Toen we vijftien, zestien waren vertelden we onze avontuurtjes aan moeder en die praatte er lachend in de avond met vader over. Ze waren bij ons betrokken. Ze wisten veel van ons denken en ons leven. En ook in de tijd rond de perikelen met mij was er genoeg voor hen om over te praten."

Mieke knikte. „We namen belangrijke besluiten pas na overleg met hen. Jet en ik vertelden toen we verloofd waren, over het huis dat we op het oog hadden en we praatten op welke manier we het beste een hypotheek of lening konden afsluiten, maar die tijd is definitief voorbij. Vader en moeder worden ouder. Hun dochters hebben hen niet meer zo nodig. Het is alleen nog gezellig geklets op zondagmorgen. Dergelijk geleuter interesseert vader niet. Nou ja, praten over de preek wel!

Ik begrijp dat het moeilijk is. Moeder is niet meer het middelpunt van het gezin. Eigenlijk is er geen gezin meer. Er zijn alleen een man en een vrouw. Moeder heeft goede contacten met haar familie, ze gaat naar de avonden van de vrouwenvereniging, ze praat met de buurvrouwen. Moeder kan de nieuwe situatie aan als ze erover kan praten met vader. Hem kan vertellen over wat ze, hoe zeg ik het, beleefd en gehoord heeft. Vader vindt het leuterpraatjes. Vader heeft weinig contacten buiten zijn werk. Hij heeft geen echte vriend. Vader vertelt niet wat hem dwarszit aan een vreemde zoals moeder dat met tante Betty doet."

„Voor ons is het duidelijk," stelde Mieke vast. „We begrijpen het, maar tussen onze ouders groeien intussen wrijfpunten." Ze keek haar zus aan. Zou ze het naar voren brengen? Ze zei: „Zou er... ik durf het bijna niet te zeggen, maar wij zijn zussen en we zoeken de oorzaak van een probleem, zou er een andere vrouw zijn? Niet echt een verhouding, dat bedoel ik natuurlijk niet, maar een vrouw die het over andere onderwerpen heeft dan de huis-, tuin- en keukenpraatjes van moeder. Vader komt in veel huizen voor kleine en grote karweitjes, hij drinkt koffie met de mensen en praat met ze. Is er misschien een eenzame weduwe die iets in Koen Sanders ziet?" Ze zag het verbaasde gezicht tegenover zich, er gleed een lach over dat gezicht, maar Mieke praatte verder: „Vader is op een leeftijd dat hij nog oog heeft voor vrouwen. Ik denk opeens aan buurman Zwagerman: wie had achter dat mannetje gezocht dat hij na het overlijden van zijn vrouw met een hupse vriendin zou thuiskomen? Niemand toch! Zou het met vader iets in die richting kunnen zijn? Ik bedoel niet dat hij echt een relatie met een andere vrouw zal beginnen, maar als er nu eens een leuke vrouw is die voor hem nieuwe verhalen heeft, die boeiende dingen beleeft en hem daarover vertelt? Het zal niet verder gaan dan praten bij een kopje koffie, maar het kan iets zijn dat hem bezighoudt."

„Dat geloof ik niet! Of..." Eline zei het met een vrolijke lach om daarmee het zotte idee van haar zus van tafel te vegen, „...het moet een heel bijzondere vrouw zijn die hem boeiende avonturen vertelt en zo'n vrouw ken ik in Rodeveld niet! Spannende verhalen. Niet het gebabbel van moeder, die opmerkt dat het druk was in de winkel van Modderman en dat Steven en Tine de Wit erover denken naar het bejaardentehuis in Borgerkarspel te gaan. Vader kan daarop alleen brommen dat het huis van Steven en Tine een leuk huis voor één van de meiden geweest zou zijn, maar ze zijn alle drie al onder dak!"

Ze lachten erom. „Maar," meende Mieke, „de hele geschiedenis is niet grappig. Het gaat niet goed in Rodeveld. Denk erover en praat erover met Werner. Misschien komen jullie op iets wat een oplossing kan brengen."

Mieke reed terug naar Rodeveld. Yvonne wilde schommelen, Eline dekte de tafel, Robbie kwam uit school, maar intussen waren haar gedachten bij haar ouders. Het was door alle jaren heen zo'n fijn stel geweest, het zou vreselijk zijn wanneer daarin verandering kwam en als het op een sluipende manier ging, zoals Mieke het aanvoelde, wat was het dan?

In de middag speelde Yvonne in de tuin. Geel bloesje aan, kort, beige rokje, witte sokjes en bruine sandaaltjes. Yvonne had een levendige fantasie. Ze kon goed alleen spelen. Ze spurtte nu als de bestuurster van een treintje op haar blauwe fietsje met aanhangbakje over de paadjes in de tuin. Ze bracht beer Bas naar station Hortensia – een plastic bordje lag onder de takken, beer zat er parmantig op – en ze reed verder met Doortje naar de hoge berk waaraan het woninkje van het mezenpaar hing. Ze praatte en lachte en zong: „Op een klein stationnetje…" Yvonne was een heerlijk, vrolijk, blij kind. Eline keek met een warme glimlach naar haar.

Ze liep naar de kamer en keerde in gedachten terug naar het gesprek van deze morgen. Ze kon geen andere oorzaak bedenken dan die Mieke had genoemd.

De telefoon rinkelde. Mogelijk had Mieke bedacht dat ze iets had vergeten te vertellen en belde daar nog even over. Maar toen ze opnam en haar naam noemde, zei een bekende stem: „Met Vincent. Eline, meisje, ik moet je ontmoeten. Je dochter is niet klein meer, ik hoor haar op de achtergrond zingen. Ik moet met je praten."

Haar gedachten werkten snel. Ze kon, nadat ze vanavond aan Werner had verteld over vader en moeder, zeggen dat ze met Mieke verder wilde praten. Vrijdagmiddag was een mogelijkheid. Werner zei gisteravond dat hij voor vrijdagmiddag geen afspraken had, hij kon een middag vrij nemen om bij de kinderen te zijn. Dit met vader en moeder was ernstig, dat begreep hij vast wel. Er broeide iets en als het niet werd uitgeplozen, kon het tot een brandje komen. Zoals er brand kon ontstaan in een hooiberg als er binnenin een vonkje smeulde. Terwijl ze dit alles snel overdacht en Vincent aan de andere kant van de lijn op haar antwoord wachtte, voelde ze ineens verlangen hem te zien, zijn gezicht, de donkere ogen, en zijn stem te horen. In de hoorn zei ze: „Misschien is vrijdagmiddag mogelijk."

Vincent antwoordde onmiddellijk: „Dat is goed. Ik kan het regelen. Vrijdagmiddag. Ik doe een voorstel: om halfdrie in het kleine restaurant De Scheepsbel in Walkenaar?

„Dat is een goede plek. Een restaurant waar weinig mensen komen die ons kennen. Vincent, ik zal er zijn." Ze verbrak de verbinding.

Vincent zien, met Vincent praten, jaren na de middag waarop ze met hem had gesproken, kort na het kinderfeest in

Walkenaar. Maar zijn bellen maakte haar toch onzeker. Er was een stille angst, Vincent betekende onrust, vervelende situaties die konden ontstaan. Maar nu, ze begreep zelf niet waar het vandaan kwam, wilde ze zich rustig voelen. Een getrouwde vrouw die van haar man hield en hem niet bedroog als ze met een vriendje van vroeger praatte. Dat vriendje van vroeger was wel de vader van haar zoon. Maar hij was getrouwd en aan zijn stem te horen dreigde er geen onheil. Ze zou vrijdagmiddag naar Walkenaar rijden.

In de avond vroeg Werner: „Is hier vandaag nog iets bijzonders gebeurd?"

Ja, dacht Eline, Vincent heeft gebeld en ik heb een afspraak met hem gemaakt. Maar ze antwoordde: „Ja. Mieke kwam vanmorgen onverwacht." Ze vertelde hem over de onrust van de meiden over vader Koen en moeder Ditte.

„Het is een vaak voorkomend verschijnsel en jullie hebben al uitgeplozen waardoor het waarschijnlijk komt. De kinderen zijn het huis uit, de tijd dat de ouders een grote rol speelden in hun levens is voorbij. Voor hen is het alleen toekijken en aanhoren wat de jongelui aan hen kwijt willen. Dat kan irritatie opleveren. Maar het is een natuurlijk verloop. Ik heb er kort geleden nog met Ernst van Zanten over gepraat. Ja, Ernst van Zanten," Werner grijnsde, „ik denk dat ik zijn naam nooit heb genoemd, maar Ernst en ik kennen elkaar toch al jarenlang. Toen we zes jaar waren, brachten onze moeders ons voor de eerste maal naar de lagere school. Aan de hand, een zakdoek in de zak van je broekje voor eventuele tranen als mama straks wegging. De school De Brug stond aan het Koperwiekplein. Ernst en ik kregen van de juf een plekje naast elkaar in een bank. We gingen destijds niet elke dag met elkaar om. Ernst had andere jongetjes om zich heen die zijn vriendjes waren. We kenden elkaar natuurlijk, maar we waren niet meer dan klasgenootjes. Geen van beiden bleef zitten, we zeilden alle klassen van de lagere school door. We bleven kinderen in de klas. Ik herinner me dat hij als jochie graag iets meer aanzien wilde hebben dan wij. Hij woonde in een groot huis, zijn vader was directeur, maar Joost, Bennie, Thomas en ik hadden meer belangstelling voor een vader die een bekende voetballer was of iemand die in films een hoofdrol speelde.

Na de lagere school gingen Ernst en ik naar de middelbare school. Uit die tijd herinner ik me dat hij heel zacht praatte. Eerst dacht ik: Kan die knaap niet meer geluid uit zijn keel krijgen? Later begreep ik dat hij het deed om je tot luisteren te dwingen. Daarna kozen we allebei voor de Hogere Handelsschool en toen groeide er meer contact tussen ons. Maar dikke vrienden zijn we nooit geworden. Na onze studie kwamen we elkaar regelmatig tegen. Soms ontmoet ik hem in de stad, dan maken we even een kort babbeltje, en soms duikt hij in hetzelfde restaurant op en nu en dan zie ik hem op feestjes. Nou ja, feestjes, meer openingen en recepties.

Enkele maanden geleden kwam hij op de bank. Hij wist dat ik daar werkte. Hij wilde praten over een lening. Geen moeilijkheden. Ernst is een betrouwbare jongen, de antecedenten waren prima in orde, alles werd snel afgewikkeld. Toen we een kopje koffie dronken, werd het gesprek persoonlijker. Ik vertelde over jou, onze zoon en onze dochter en Ernst vertelde dat hij ook getrouwd was, en vader van twee zonen. Daarna vertelde hij dat hij zich naast de studie handelswetenschappen heeft verdiept in filosofie. Die denkrichting houdt hem al jarenlang bezig. Hij ging er die middag uitgebreid op in. Ik vond het interessant, maar ik keek toch af en toe naar de klok omdat het niet juist is de waarde van een filosofiestudie in de tijd van de bank door te nemen. Maar... en nu komt pas wat ik je kan vertellen over het dilemma van je ouders, Ernst praatte over zijn ouders. Die zaten al enige tijd elk aan een kant van de tafel en konden met geen mogelijkheid een onderwerp op die tafel leggen." Werner keek Eline aan, een ernstige blik vermengd met een lach in zijn ogen: „Er moeten in dreigende gevallen als deze al maatregelen genomen worden voor de vogels uitvliegen, weet Ernst. Men moet ervoor zorgen een hobby te hebben, en de beste hobby is een hobby die je in contact brengt met mensen. Dus geen postzegelverzameling aanleggen en in je eentje in de achterkamer door een loep naar je zegels kijken. Maar, bijvoorbeeld, gaan zingen in een koor, je aansluiten bij een amateurschilderclub of meedoen met een toneelgezelschap. Of men moet proberen in het bestuur van een vereniging een plaatsje te krijgen. Dat betekent weer enkele avonden in de donkere wintermaanden met anderen rond een tafel zitten."

Werner leunde terug in zijn stoel. „Ernst zal het binnenkort met zijn ouders bespreken. Maar eigenlijk is het al te laat. En hij zag ondanks zijn jarenlange interesse in de filosofie, het drama van zijn ouders niet aankomen. Maar beter ten halve gekeerd dan ten hele gedwaald. Het is jammer dat ik er niet eerder over hoorde, dan had ik je ouders de tip kunnen geven. Maar ik was zelf nooit op deze wijsheid gekomen. Daarvoor moet je dieper hebben nagedacht."

Werner lachte en Eline lachte met hem mee.

„Het is een leuk verhaaltje en Ernst van Zanten heeft waarschijnlijk gelijk, maar ik zie er geen oplossing in voor mijn ouders."

„Ik ook niet. Als vader Koen blijft zwijgen, zal moeder Ditte meer en meer avonden het huis ontvluchten. Dan zit hij in z'n eentje te kniezen en wordt het beslist niet beter."

Ze vertelde hem van haar plan vrijdagmiddag toch weer met Mieke te praten en Werner knikte instemmend. Een goed plan. Als er iets te doen was aan deze vervelende geschiedenis, moest het zo snel mogelijk gebeuren.

Die vrijdagmiddag reed ze naar Walkenaar. Door de hoofdstraat, daarna rechtsaf, en een keer linksaf. Ze parkeerde op het terrein naast het restaurant, sloot de wagen af en liep het gebouw binnen.

Vincent stond naast een tafeltje achter in de zaal. Ze zag zijn gezicht met een blije lach en even dacht ze: Een minnaar die zijn geliefde van vroeger weer ziet. Hij zag er keurig uit. Hij droeg een lichtbeige broek, een streepjesoverhemd in de kleuren geel, groen en bruin en een jasje, het was geen colbert, van mooie stof in een prachtige kleur donkerbruin. Zijn krullen, de ogen die haar opnamen en haar naar zich toe leken te trekken, zijn uitgestoken handen.

„Eline, meisje, ik ben blij je te zien." Ze wist dat zij ook nog warmte voor hem voelde. Wat er ook gebeurd was tussen hen, de tijd en de nieuwe omstandigheden hadden er voor haar de scherpe randen afgeschuurd; en diep in haar hart was Vincent toch een vriend gebleven.

„Ga zitten." Hij keek naar haar met de blik die er vroeger was geweest. „Eigenlijk horen wij bij elkaar, Eline. Alles wat er is voorgevallen, dreef ons uit elkaar. Maar er blijven altijd gevoelens tussen ons."

Eline was terug in de werkelijkheid na de warmte die ze in een opwelling had gevoeld. Ze wist: ja, zo voelde ik het ook, maar het is voorbij.

„Wat wil je drinken?"

„Graag thee."

„Goed. Ik heb liever koffie."

Nadat hij één en ander aan de ober had doorgegeven, vroeg hij: „Hoe is het met Robbie? En met je kleine meisje?" Naar Werner vroeg hij niet. Werner paste voor hem niet in deze middag. Ze vertelde over Robbie, zijn vorderingen op school, zijn belangstelling voor lezen en rekenen. Vincent luisterde en knikte. Ze nam een foto uit haar tas en legde die voor hem neer.

„Het is alsof ik naar een foto van mezelf uit mijn kinderjaren kijk. Alleen de kleding is kleuriger en moderner. Het is ongelooflijk zoals dit manneke op zijn vader lijkt. We kunnen ons verbond alleen al daarom niet vergeten."

Ze ging er niet op in. Ze wist dat hij dat wel verwachtte.

„Vincent, jij wilt me iets vertellen."

„Ja. Er is een wending ten goede tussen Charlotte en mij. Ik heb je verteld over alle bezigheden die ze naar zich toetrok sinds ze weet dat ook een goed huwelijk een verbintenis is van twee mensen die elkaar graag mogen, maar niet alleen rozengeur en maneschijn met zich meebrengt, ook meningsverschillen, nukkige buien en af en toe onvriendelijk woorden horen daarbij."

Vincent boog zich over de tafel dichter naar haar toe. „Maar het gaat goed tussen ons. Ik kan mijn gevoelens rond alles wat met jou, Robbie, Charlotte en mezelf te maken heeft, moeilijk omschrijven, maar ik wil het tegenover jou proberen. Omdat jij weet hoe alles in elkaar past als een moeilijke puzzel waarvan je de juiste stukjes niet kunt vinden, maar weet dat ze er wel zijn. Jij was en blijft mijn grote liefde. Dat klinkt dweperig, maar het is de waarheid.

Tussen ons was iets unieks. Jouw liefde voor mij werd wreed afgebroken en dat is heel diep tot me doorgedrongen. Mijn handelwijze moet je verbijsterd hebben en daarbij kwam, voor jou, het weten van de zwangerschap. Je hebt me losgelaten. Het was het enige wat je kon doen. Of je het echt wilde, is een andere vraag, maar het moet je veel pijn hebben gedaan, al was er geen andere weg. Ik koos voor het bedrijf en voor mijn vader. Je vertelde me niet over de zwangerschap omdat je wist dat ik al gekozen had. En omdat ik, als ik van de zwangerschap had geweten – ik vind het nog steeds moeilijk dit te zeggen – ook dan de beslissing had moeten nemen het familiebedrijf te redden om mijn vader weer gelukkig te zien. En, heel belangrijk, de maatregelen die Willem Zandbergen nodig vond, waren al in gang gezet. Hij had al plaatsgenomen in het kantoor. En aan de trouwdag van Charlotte en mij werd volop gewerkt. Voor de familie was een woning voor ons belangrijk, en met geld is snel iets moois te vinden. Maar, Eline, we hadden een andere oplossing kunnen zoeken."

Ze keek hem recht en strak aan. Een vraag in haar ogen. Welke oplossing dan? Maar ze sprak die vraag niet uit.

Vincent praatte verder: „Ik heb verdriet gehad over ons afscheid. Ik wist dat ik me nooit ongelukkiger zou kunnen voelen dan in die tijd. Alle beslissingen en bezigheden die genomen werden, rolden als een zondvloed over me heen.

Toen ik jou drie jaren later met het kind zag in Walkenaar was ik een gebroken man. Het kind stond, lachend en juichend, enthousiast zwaaiend met een vlaggetje in zijn handje; jij hield je handen op zijn schoudertjes. Een beeld dat mij mijn leven lang bij zal blijven. Zoiets zien, terwijl je niet wist van het kind. Ik heb me, terug uit de stad, opgesloten in mijn kantoor. Ik was totaal kapot. Ik dacht dat ik gek werd toen wat ik had gezien goed tot me doordrong." Hij haalde diep adem en zei enigszins heftig: „Ik liet jou los om mijn vader en het bedrijf te helpen. Maar later had het hersteld kunnen worden, Eline, het had hersteld kunnen worden!! Maar het was te laat. Werner had jou intussen verteld wat hij voor je voelde. En ik begrijp dat je na de nare ervaring met mij graag met twee handen en een warm hart zijn liefde aannam.

Ik wil er blij mee zijn. Ik wil denken: Jij en hij moeten het goed hebben in het leven, ik wil het, het maakt ze tot gelukkige mensen, en dat is goed voor Robbie. Maar, Eline, het doet veel pijn dat niet ik die man en die vader ben." Hij zuchtte. „Jij legde zijn woorden naast mijn woorden. Ik had prachtige volzinnen over de liefde. Ik weet nog de avond waarop ik gezegd heb dat ik vanaf de dag dat ik jou ontmoette, wist dat jij de vrouw was die alles voor me betekende. Herinner jij je die avond nog? Nou, ik wel. En ik meende elk woord. Maar toen er werd gesproken over zakelijke belangen en geld, had ik alleen daar belangstelling voor."

„Zo simpel lag het niet. En dat weet je zelf ook."

Hij knikte als antwoord en zei toen, hij sprak de woorden langzaam uit en er was iets van berusting in de toon: „We bewaren de fijne herinneringen aan de tijd die we samen doorbrachten. Je weet nu dat de liefde van Werner waardevoller is dan al mijn woorden van toen. Om het simpel te zeggen: je hebt er meer aan. Maar zo bedoel ik het niet. We blijven contact houden. Om onze zoon." Hij zweeg weer, het diepe bruin leek weg te trekken uit zijn ogen, er kwam een lach op zijn gezicht. „Het gaat nu goed tussen Charlotte en mij. Ze wil een goed huwelijk. Er was vriendschap en die vriendschap groeide voor haar naar liefde. Toen ze zestien, zeventien was, droomde Charlotte over een huwelijk zoals in een sprookjesboek. Zo zou het in de toekomst tussen haar en mij zijn. Uniek en volmaakt. Ze weet nu dat dat in het dagelijks leven niet kan bestaan. Maar het kan goed zijn tussen een man en een vrouw die om elkaar geven."

Er gleed een lach over zijn gezicht. „En nu is Charlotte in verwachting! Drie maanden. We zijn er allebei blij mee. Ze blijft zich bezighouden met alles wat bij het museum hoort. Ze wil die baan niet opgeven. Dat hoeft ook niet. Ons gezamenlijk inkomen is hoog genoeg om een jonge vrouw in huis te nemen die voor het kindje kan zorgen. Ik hoop stiekem dat Charlotte zo blij met onze zoon of dochter is, dat ze er zelf voor wil zorgen. Maar ik weet eigenlijk wel zeker dat het een te groot offer voor haar zal zijn. Ze is te verbonden met het museum en met de kring van mensen die met haar werken."

Eline legde haar hand op zijn arm. „Je hebt me destijds verschrikkelijk teleurgesteld, maar ik had, ondanks mijn verdriet en de moeilijkheden, begrip voor je beslissing. Mijn grote geluk was dat Werner zich heeft uitgesproken. Een complete liefdesverklaring tijdens een etentje. Hij had zich voorgenomen het me te vertellen en hij deed het. Er zijn bij ons ook nu en dan strubbelingen, maar ze stellen weinig voor. Werner is gelukkig en tevreden als hij thuis is met mij en Robbie en Yvonne vragend en babbelend om hem heen. Papa dit... papa dat... Ik ben uiteindelijk getrouwd met Werner, jij bent getrouwd met Charlotte."

„Ik weet welke richting je uit wilt. Je vindt dat het voor beide huwelijken het beste is het verleden los te laten. Maar dat kan niet."

Eline reageerde niet op deze woorden. „Ik praat vanavond met Werner over deze ontmoeting met jou." Ze legde haar handen op de tafel, keek Vincent aan en vroeg: „Ben je niet bang dat Charlotte of iemand van de familie op een kwade dag hoort over Robbie?"

„Och, het is natuurlijk mogelijk, maar ik schat de kans daarop heel klein. Borgerkarspel en Koperwille liggen ruim vijfentwintig kilometer uit elkaar. Als iemand die mij goed kent de kleine jongen ziet, ja, wie weet. Maar de meeste mensen letten niet op kleine kinderen die niet hun eigen kinderen zijn. Als jullie verhuisd waren naar Groningen of Maastricht, was de kans op ontdekking nog kleiner geweest, maar dan had ik hem waarschijnlijk nooit gezien!"

Eline dacht: Dat was dan een goede oplossing geweest, maar ze sprak het niet uit.

„Ik ben vanbinnen wel een beetje bang voor die dag. Ik

hoop dat het nog vele jaren duurt voor Charlotte, haar ouders en mijn ouders erover horen. Het zal een vreselijke ramp teweegbrengen. Maar ik kan er niets tegen doen." Hij glimlachte verdrietig naar haar. „Ik maak mezelf niet wijs dat ik hoop en vertrouwen moet hebben, maar stilletjes hou ik me daaraan vast. Als Charly er kort na onze trouwdag over had gehoord dat jij en ik samen een zoon hebben had ze me onmiddellijk het huis uit gezet. En een kind, ze zal het niet kunnen geloven! Ook mijn ouders zullen de klap moeilijk te boven komen en ik weet niet wat Willem Zandbergen gaat doen. Ik durf er niet aan te denken. Als ik over de reacties van deze vijf mensen pieker, en ze zijn me alle vijf heel dierbaar, breekt het angstzweet me uit. Ik weet niet wat er dan gaat gebeuren."

„Ik moet nu naar huis. Ik heb Werner beloofd om vijf uur thuis te zijn. Als ik er dan niet ben, belt hij Mieke om te vragen of hij al aan het klaarmaken van de maaltijd kan beginnen. Als Mieke niet snel begrijpt dat er iets niet klopt en zegt dat ik niet bij haar ben geweest, zijn de rapen gaar," Eline lachte, „hoewel er geen rapen op het menu van vanavond staan!"

Na de maaltijd voetbalde Robbie met zijn vriendjes uit de laan op het grasveld en Yvonne speelde met pop Doortje op het terras. Een tafeltje, twee stoeltjes, een theeserviesje en veel water; het was deze avond theewater.

„Heeft het gesprek met Mieke nog nieuwe gezichtspunten opgeleverd?"vroeg Werner.

„Ik vertel je vanavond over de voorbije middag. Als de kinderen naar bed zijn."

Werner knikte. Uit haar antwoord maakte hij op dat er niet veel nieuws was. Als dat wel zo was, had ze er iets over gezegd.

In de avond begon Eline het gesprek. Het zou er voornamelijk op neerkomen dat zij aan het woord was, want zij had veel te vertellen. Hoe zou Werner erop reageren?

„Ik heb vanmiddag met Vincent gepraat."

Werners blik werd strakker en Eline zei: „Stil maar, ik weet wat je wilt zeggen. Ik heb je niet verteld dat hij een heel enkele maal belt. Het is hooguit twee, drie keer gebeurd. Het waren volkomen onbelangrijke gesprekjes. Hij vroeg naar Robbie, ik zei dat alles goed ging en daarna praatte hij over zijn eigen leven. Hij zit met de hele geschiedenis vreselijk in zijn maag. Hij verzwijgt een verschrikkelijk belangrijk feit voor zijn vrouw. En hij durft er niet met haar over te praten, hij durft het haar niet te vertellen. Hij leeft met een groot geheim en weet niet hoe het opgelost kan worden. Jij zegt natuurlijk: alles eerlijk opbiechten, maar dan komt er ontzettend veel los en Charlotte zal er geen genoegen mee nemen. Hij had een relatie met mij toen Vincent al bij haar hoorde en dat wist hij ook. Maar hij wilde nog wat dollen en de vlotte jongen uithangen. Iets in die richting. Vincent kan bij niemand zijn verhaal kwijt, ik fungeerde alleen als klankbord."

„Maar ik vind het niet prettig dat je me daarover niets hebt verteld. Je weet hoe ik erover denk. Tussen man en vrouw moet eerlijkheid zijn. Ik weet ook dat er in duizenden huwelijken geheimen zijn, maar ik wil het niet in ons huwelijk. En jij wilt het ook niet. Het is voor mij moeilijk te begrijpen hoe je tegenover Vincent staat. Je bent verliefd op hem geweest, ik wil nog een stapje verder gaan: je hebt van hem gehouden, maar hij heeft je op een verschrikkelijke manier in de steek gelaten. En nu hij geestelijk worstelt met alle problemen, nu ben juist jij, uitgerekend jij, de enige persoon die, door naar hem te luisteren, hem steun biedt."

„Ik begrijp je gedachtegang, Werner, maar ik voel niets meer voor Vincent wat in de richting van liefde gaat, absoluut niet. Het is een gevoel van medelijden: hoe moet hij dit drama oplossen? Mogelijk had hij direct na de ontdekking in Walkenaar alles aan Charlotte moeten vertellen, maar hij was zelf te onthutst en in de war. En Charlotte had waarschijnlijk dan al de echtscheiding aangevraagd. Hij houdt van Charlotte, ze hoort bij hem, alleen de echte, diepe liefde is er niet."

Hij keek haar recht aan. „Maar jij belooft me vanaf dit moment alles wat tussen hem en jou besproken wordt, eerlijk te vertellen."

„Ja, Werner, daarop kun je vertrouwen."

Die zomer huurden Werner en Eline voor drie weken een bungalow op een vakantiepark. De bungalow stond aan de rand van een meer. „We stappen 's morgens uit bed. Trekken bikini's en zwembroeken aan, hollen over het gras en het smalle strandje en plonzen het water in!" zei Werner. „Wanneer we het treffen met het weer, en waarom zouden we het niet treffen, is het een schitterend plekje. De kinderen kunnen er heerlijk spelen. Er zullen meer kinderen op het park hun vakantie doorbrengen, speelkameraadjes genoeg. Ik wil nog wel een flinke rubberboot kopen. Als je het goed vindt, doe ik dat met Robbie samen; een boot kopen is mannenwerk. Als we in de toekomst een jacht willen aanschaffen – dat heet geen kopen meer – mag jij ook mee! Maar nu wil ik graag met Rob naar Overpoorte en Van der Berg. Ze hebben heel wat boten in voorraad. Lekker met mijn zoon rondneuzen."

Eline knikte, ze vond het een goed plan.

„En," praatte Werner verder, „voor het tweede weekend hebben we vader Koen en moeder Ditte gevraagd bij ons te komen. Heb je verder nog iets gehoord over hun problemen?"

„Nee, er is niets boven water gekomen waar we houvast aan hebben. Het gaat nog op dezelfde manier door."

Op vrijdagmorgen vertrok het gezin Hofstra naar het bungalowpark.

Het werden heerlijke vakantiedagen. Prachtig zomerweer. Rob en Yvonne speelden in het water en op het strand. Ook in andere bungalows logeerden kinderen. Robbie had in Stefan en Dickie vriendjes gevonden. Yvonne had een parmantig vrouwtje van vijf jaar ontdekt dat dacht Yvonne de baas te kunnen zijn, maar daarvan kwam ze snel terug, omdat Yvonne heel goed voor zichzelf kon opkomen. Werner en Eline volgden het spelen, kibbelen en lachen vanuit hun strandstoelen en genoten ervan.

De volgende vrijdagmiddag arriveerden Elines ouders. Een flinke tas werd uit de wagen getild, met daarin onder andere een grote, door moeder Ditte gebakken appeltaart.

Zaterdagmiddag roeiden de mannen in de ruime boot het meer op. Yvonne bouwde met Tinka aan een kasteel waarin doorgangen moesten worden gegraven. Eline en Ditte zaten onder een parasol op het gras. Eline had het gesprek geopend over 'wat er met vader aan de hand was'.

„Hoe is het nu?"

„Och, Eline, Mieke maakt er, zoals ze vaak over onbelangrijke zaken doet, een geweldige heisa van en Jetske sloft daar met minder vaart in mee. Maar het is inderdaad zo dat vader niet meer de gezellige kerel is uit de tijd toen jullie nog thuis waren. Ik denk dat dát er inderdaad de oorzaak van is. Ik lees nu en dan artikelen over vrouwen die bezigheden zoeken en daar voldoening in vinden, want het is belangrijk om de leegte van het nest op te vullen. Bij ons tobt vader daarmee. Jullie brachten drukte in huis, drie gezellige meiden die praatten en lachten. Er gleden dolle verhalen over en weer over de tafel, dat is nu voorbij en we missen het.

Ongeveer anderhalf jaar geleden hebben pap en ik erover gepraat. Die avond was Mieke bij ons geweest en ze had gezegd dat ze hem erg veranderd vond. Hij was stiller en chagrijniger en nou ja, je weet hoe Mieke het opnam. Toen ze de deur uit was, gingen we er nog even over door. Zoals mijn vader dat noemt 'omdat het één in het verlengde van het ander ligt'. Hij vindt het zelf een mooie formulering." Even was er een lachje, toen zei moeder weer ernstig: „Het is het enige gesprek wat erover is geweest, want vader vindt zelf dat hij niet veranderd is. Koen Sanders blijft Koen Sanders. Hij zei die avond wel: 'Als ik van God vijfenzeventig jaren op deze mooie aarde mag blijven, verdeel ik die jaren voor mezelf in drie perioden. De eerste vijfentwintig jaar waren fijn. Mijn kinderjaren herinner ik me als onbezorgde jaren. Alles ging goed. Moeder was thuis en op school was het prettig. Na de eerste twaalf, dertien jaren kwam de tijd van plannen maken voor de toekomst, vrienden om me heen, vrolijkheid, lol noemden wij dat toen. Naar meisjes kijken, met meisjes avontuurtjes beleven, het waren goede jaren. Ik ontmoette jou, en we maakten keuzes. Ik was gelukkig. De volgende periode, de tweede vijfentwintig jaar, stonden in het teken van de dochters. Een heerlijke tijd. Nu staan de laatste vijfentwintig jaar voor de deur. De meiden zijn het huis uit. Ze bepraten wat hen bezighoudt met vreemde knullen, want hoe goed ik ook met ze kan opschieten, op de achtergrond speelt voor mij vaag het gevoel dat ze mijn dochters van me hebben afgenomen. Ik weet dat dat onredelijk is, zeg er maar niets over, maar ik voel het zo.'

Daarna," moeder Ditte keek van opzij naar Eline, „vertelde hij over de dood van tante Elisabeth, zijn zuster. Dat drama heeft hij zich erg aangetrokken. Ze is veel te jong gestorven. Het zijn dingen waarover hij piekert. Net als over het ouder worden, de angst om mij te verliezen en alleen achter te blijven. Of," Ditte glimlachte, „andersom. Veel tobberijen die bij mensen die ouder worden van tijd tot tijd opkomen. Ik kon hem niet zeggen dat die gedachten onzinnig waren, want dat zijn ze beslist niet. Ik raadde hem aan, zoals in de bladen staat, afleiding te zoeken en vooral raadde ik hem aan het leven te nemen zoals het nu eenmaal voor ons mensen is. Proberen er niet de donkere kanten van te zien, alleen de lichte. Het is heel belangrijk hoe een mens denkt. Maar ik weet zeker, Eline, dat vader op dat moment dacht: Je kletst wel lekker, maar ik schiet er niets mee op."

Ditte Sanders zweeg. Ze keken beiden naar de kleine meisjes die nu onderhandelden met een blond jongetje in een donkerblauw zwembroekje dat zijn hulp aanbood bij het verdere werk aan het kunstwerk. Mocht hij meedoen of niet? Hij mocht helpen de slotgracht dieper uit te graven.

„Die avond vertelde hij ook over een meisje waarmee hij in zijn jonge jaren graag verkering wilde. Ik kende haar naam. Toen ik jaren daarvoor een vroegere schoolvriendin vertelde dat ik met Koen Sanders was uitgeweest, reageerde ze: 'Koen Sanders? Die was straalverliefd, dat was in die tijd de term voor hoe heftig het was, op Sanne Terpstra! Sanne woonde aan de straatweg van Rodeveld naar Kapland. Sanne vond Koen wel aardig, maar straalverliefd was ze niet op hem. Haar ouders vonden dat hij en zij niet bij elkaar pasten. Echt een opmerking van ouders."

Ditte glimlachte fijntjes, maar Eline reageerde niet en haar moeder vertelde verder: „Sanne luisterde naar hen. Zij had het lyceum gevolgd en deed daarna een opleiding voor makelaar. Koen had de ambachtsschool gedaan en werkte bij een aannemer. Sannes vader voorspelde zijn dochter een sober leven met Koen. Geen echte armoede, maar tellen en rekenen en veel als 'voor ons onmogelijk' opzijschuiven. Sanne vertrok naar Arnhem. Daar trouwde ze. Ze is al vele jaren weduwe. Sinds kort is ze teruggekeerd naar de grond waar ze werd geboren en opgroeide. Ze heeft een huis gekocht aan de weg naar Kapland.

Bijna een jaar geleden belde ze Kees Dekker voor een klusje in haar woning. En Kees stuurde papa in de werkbus op het karweitje af. Koen zag wie mevrouw De Bildt was. Vroeger een mooie meid, nu nog een mooie vrouw." Ditte praatte verder met een vlakke stem. „In Arnhem was Sanne alleen. Ze verlangde naar de omgeving van vroeger, ze trok naar Kapland en toen er iets in haar huis gerepareerd moest worden, belde ze een aannemer. Koen ontmoette haar. Ze haalden herinneringen op; Koen lachte nu hartelijk om zijn liefde van toen. Sanne vertelde over haar werk. Ze bouwde met haar man, Erik de Bildt, een goed makelaarskantoor op. Vader hoorde spannende verhalen over haar werk."

Ditte zweeg even, ging toen verder: „Je weet dat vader weinig televisie kijkt. Moord-en-doodslagfilms vindt hij verschrikkelijk. Geen wonder dat de mensen steeds agressiever worden! Het slechte voorbeeld komt avond aan avond op de buis. Alle kanalen doen eraan mee. Kijken naar een oorlogsfilm wil hij beslist niet.

Ik weet dat hij regelmatig bij Sanne komt. Soms zegt hij er in het kort iets over om mij te laten weten dat hij niets achterbaks doet. Er zal ook niets tussen hen zijn, maar papa is nu drieënvijftig, hij dacht een jaar geleden dat hij aan de laatste vijfentwintig jaar van zijn leven was begonnen, en het zouden saaie jaren worden, maar nu voelt hij dat hij nog een vent is die, als hij dat wil, aantrekkelijk kan zijn voor een vrouw van zijn leeftijd."

„Mama toch!!"

„Lieverd, ik weet zeker dat er nooit meer zal zijn tussen die twee. Maar, en dat is de onrust die Mieke in hem voelt, hij heeft het er zelf moeilijk mee. Vader en ik weten alles van elkaar. Er zit geen verrassing meer in, we zijn uitgepraat. Maar Sanne vertelt, zonder namen te noemen, over bijzondere transacties die op hun kantoor hebben plaatsgevonden. Ze vertelt hoe de mensen reageren. Vader vindt die verhalen interessant en ik weet ook dat ze dat zijn. Sanne vertelt over de reizen die zij en haar man hebben gemaakt. Thailand, Egypte, ze schudt de namen uit haar mouw alsof het over Wijk aan Zee en Otterlo gaat. Ze praten over politiek en economie en noem maar op. Hij luistert naar haar mening en stelt zijn zienswijze daartegenover en daar babbelen ze genoeglijk een uurtje over. Ruzie krijgen ze niet, want dat willen ze geen van beiden. Ik heb al vaker verkondigd dat ik vind dat heren in de politiek te veel praten, praten en blijven praten en dat er te weinig goede beslissingen uit voort komen. Dus met mij," moeder Ditte lachte even, „is weinig discussie mogelijk.

Het klinkt nu alsof hij elke avond naar Kapland rijdt, maar dat is niet zo. Hij heeft me verteld waarover ze praten. Ik heb er niets op gezegd. Ik praat met de vrouwen van onze vereniging en met de leden van het koor. Ook daar komen allerlei onderwerpen voorbij. Ik reageer niet met jaloezie op de naam Sanne. Wat Koen en mij in de voorbije jaren tot elkaar heeft gebracht, laat hij niet kapotmaken. Omdat ik er niets van zeg, wordt het voor hem moeilijker ermee te breken. En als ik er wel iets van zeg, zal hij beledigd in de verdediging gaan. Op de manier van: wat maak je je druk, er is niets tussen Sanne en mij.' Maar diep in zijn hart vindt hijzelf dat het niet goed is. We hebben meerdere gevallen meegemaakt van vriendschappen die begonnen met gezellig met elkaar praten. Een goed gesprek kan tot een goed begrip leiden, dat is toch zo? En als een vrouw haar problemen voorlegt aan een andere man dan haar eigen man, begrijpt die ander haar beter dan haar echtgenoot. Omdat haar echtgenoot meestal weet wat er nog meer meespeelt. Hij weet wat ze verzwijgt. Bij dergelijke affaires in de familie- en kennissenkring riep Koen: 'Die twee voelen toch zelf ook dat het uit de hand loopt?' Je weet hoe heftig vader zoiets kan zeggen. 'Ze maken hun huwelijk kapot!! Ze moeten hun verstand gebruiken, ze spelen met vuur!'

Nu is niet de vraag, Elientje, of vader met vuur speelt. Dat geloof ik niet. Maar hij vindt het prettig met Sanne te praten. Ze brengt interessante onderwerpen op tafel. Ze praat over dingen die ze heeft meegemaakt. Hij hoort haar mening over onze regering, hoe de ministers denken het land op een goede manier te kunnen leiden. Sanne op haar beurt vindt het gezellig als er iemand over de vloer komt. Ze verlangde naar haar dorp van vroeger, maar de mensen van toen zijn er niet meer."

Ze keken over het water.

„De mannen komen terug," stelde Eline vast.

„We praten er nog wel eens over. Zal ik koffiezetten? Daar hebben de zeelui zeker zin in."

4

De dorpen Oplande, Rodeveld en Hengeveld lagen verscholen in een prachtig, landelijk gebied. Ze werden omringd door veel weilanden, waar in het voorjaar en de zomer de zwartbonte koeien kauwend en malend met hun grote tong rustig door het groene gras sjokten, waar schapen liepen, na de pinksterdagen verlost van hun warme, wollen vacht, en in het vroege voorjaar lammetjes dartelden.

De weiden werden afgewisseld door akkers. In deze streek werden aardappels verbouwd. In de zomer bloeiden veel planten met witte bloempjes. De eigenaar van het naastgelegen land had voor een ander ras gekozen, op zijn land waren de bloemetjes paars. Smalle en brede sloten en vaarten en ook wegen slingerden zich door het landschap.

In de dorpen stond de kerk in bijna alle gevallen op een centrale plaats, de toren fier gericht op de hemel. Rond de kerk de kleine winkels, de werkplaats van de fietsenmaker en de werkplaats van de timmerman, het dorpscafé en kleine en grote woonhuizen. Aan het begin van de dorpsweg – of aan het einde, net waar je vandaan kwam en het dorp in liep – stonden één of twee prachtige boerderijen. Hofsteden. Een breed voorfront met soms twee, maar dikwijls drie ramen aan elke kant van de forse, mooie voordeur. In dit deel van de boerderij leefde de familie.

Koen Sanders fietste op een zoele zomeravond door de dorpen en langs de boerderijen. Hij vond ze schitterend. Pronkjuwelen, noemde hij ze. Er was geen zweem van jaloezie in die woorden. Hij was niet jaloers op de rijke boeren. Zij kwamen uit rijke families. Geld zoekt geld, geld trouwt met geld. Gezegden die in deze omgeving vaak over de lippen kwamen.

In sommige van die boerenhoven richtten de voorouders

van de huidige familie jaren geleden al een kamer in tot mooie kamer. Pronkkamer was een betere naam. In die kamer was de rijkdom van de familie bijeen gebracht. Daar bewaarde en koesterde men kostbare schatten. Prachtige erfstukken en bijzondere aankopen. Gouden en zilveren sieraden, de horloges van vader op zoon, de pijpen, en ook schitterende, grote kasten met op de kap het porseleinen kaststel, bestaande uit drie vazen. Eén grote vaas stond in het midden boven de gesloten deuren, op elke hoek van de kast een kleinere vaas. De mooie kamer werd alleen gebruikt bij speciale en belangrijke gebeurtenissen zoals het bespreken van een huwelijk van de zoon des huizes met de dochter van een eveneens rijke boer, het tekenen van contracten over koop en verkoop, en na het overlijden van één van de bewoners nam men hier afscheid van de overledene voor hij of zij door de voordeur de boerderij voorgoed ging verlaten. Het was de laatste eer die bewezen kon worden.

Directeur Klaas Scheltema van het Waterlandmuseum in Walkenaar had tijdens een van de bijeenkomsten met zijn medewerkers het plan op tafel gelegd een van de kleine zalen van het museum in te richten tot pronkkamer.

„Dan krijgen de bezoekers die van verre komen en niet veel weten van deze streek," had Scheltema gezegd, „een goede indruk van wat een rijke boerenhoeve aan rijkdom en mooizijn uitstraalt, maar ook wat ze aan schoonheid en waarden binnen haar muren bewaart."

Het plan werd enthousiast ontvangen. Dit was een goed idee. Men begon onmiddellijk met het uitwerken ervan. In het museum was veel aanwezig wat voor de inrichting van de kamer gebruikt kon worden. Een prachtige porseleinkast van diep, glanzend, donkerrood mahoniehout, met brede deuren en laden voorzien van koperen sloten en sleutels; een bolpoottafel met zes stoelen, de zittingen van donkerblauw fluweel; schilderijen over het leven op het platteland, vee in de groene weiden, een watertje met knotwilgen aan de wallenkanten. En in het magazijn stonden veel voorwerpen die bij de aankleding van het geheel gebruikt konden worden, zoals een Jan Steenkan, een gortbusje, een erwtenpot en een prachtig biedermeiertheelichtje op een komfoortje. Wat ontbrak was een antiek servies. Klaas Scheltema had verteld hoe hij dat voor zich had gezien. „Wanneer we een dergelijk servies zouden hebben, stalden we het uit op de planken van de kast. We zetten één deur op een flinke kier zodat nieuwsgierige bezoekers naar binnen konden kijken. Ze zagen dan een rijkdom aan schitterende borden, dekschalen en soepkommen, alles gedecoreerd met een fijn bloemmotief. Ook een theepot en kijk eens... Het is een compleet servies!" Klaas kon er lyrisch bij worden. „Maar helaas, zo'n servies is niet in het bezit van het museum. We zullen de kastdeuren gesloten houden."

René de Wit was makelaar-taxateur. Hij hield kantoor, zoals hij het zelf met een lachje noemde, aan het Hoogvliet. Drie ruime, lichte vertrekken achter elkaar aan een lange gang in een oud pand. In het eerste kantoor nam Elly Wijers ettelijke malen per dag de telefoon op, luisterde, praatte en adviseerde de meneer of mevrouw aan de andere kant van de lijn en regelde alle voorkomende werkzaamheden.

Naast zijn werk als makelaar-taxateur had René de Wit grote belangstelling voor antiek. Niet om erin te handelen, het was voornamelijk zijn liefde en aandacht voor de prachtige dingen van vroeger. Vooral klokken en schilderijen hadden zijn aandacht.

Op een vrijdag had ene meneer Van Waardenburg het kantoor gebeld en een afspraak gemaakt, via Elly, met René de Wit. Tijdens dat gesprek vertelde de man dat zijn tante, mevrouw de weduwe Van Waardenburg-te Nierop was overleden. Ze woonde jarenlang aan de Rechterkade, in een groot, statig huis. René de Wit had bij die mededeling geknikt. Ja, hij kende het pand.

Tante had veel prachtige voorwerpen in haar bezit. Het huwelijk van oom Floris-Jan en tante Albertine was kinderloos gebleven, maar er waren neven en nichten. Ze bezochten hun tante regelmatig omdat het een aardige, gastvrije vrouw was en enkelen hadden misschien gedacht: Je weet nooit waar het in de toekomst toe kan leiden. Maar in het hart van tante hadden al haar neven en nichten een gelijk plekje. Ze informeerde tijdens de laatste vijf jaren van haar leven waarnaar de voorkeur van Margaretha, Pieter-Jacob en de anderen uitging. Die gegevens noteerde ze op een vel wit papier. Ze vroeg René de Wit naar haar woning te komen om de waarde van de voorwerpen vast te stellen en die bedragen op het papier te noteren. René de Wit was daar goed in, wist tante Albertine, en op deze manier werd één en ander uitstekend geregeld. De lijst werd aan notaris Leyendijk ter hand gesteld.

Mevrouw Van Waardenburg-te Nierop had nog een besluit genomen. Ze stelde de oudste neef, Johannes van Waardenburg, aan als de persoon die na haar dood, namens haar, de zorg voor het verdelen van de nalatenschap in handen moest nemen. Ze wist hoe snel bij het verdelen van prachtige en waardevolle bezittingen ruzies en meningsverschillen konden ontstaan en ze had kort voor haar dood elk van de erfgenamen van dit besluit op de hoogte gesteld. Johannes was een eerlijke, rustige en betrouwbare man; ze was ervan overtuigd dat alles goed zou verlopen.

Tante had de naam van René de Wit genoteerd als vakkundig, bekwaam en betrouwbaar; vandaar het telefoontje en de afspraak. René de Wit wist dus welke schatten en juweeltjes zich in het huis aan de Rechterkade bevonden.

Aan het einde van de Rozenlaan in Koperwille stond de bungalow waarin Vincent en Charlotte Palensteyn woonden met hun dochtertje Loekie. De baby was nu ruim drie maanden oud.

Op een maandagmorgen was Charlotte bezig in de keuken. Loekie sliep na haar badje en na het met veel gesputter en geblaas leegdrinken van het flesje. Het waren vermoeiende bezigheden voor het kleine ding en mama wilde alles veel te snel afhandelen. Nu was er rust in huis. Loekie sliep heerlijk, in de keuken klonk lichte, gezellige muziek. Charlotte zong van bekende liedjes de tekst zachtjes mee.

De telefoon begon te rinkelen en ze liep naar de woonkamer. Toen ze opnam, hoorde ze aan de stem en het uitspreken van haar naam wie het was: René, leuk dat hij belde! Via het museum was er contact tussen hen ontstaan. Kortgeleden vertelde ze hem over het plan van Klaas Scheltema: de inrichting van een pronkkamer in een van de zalen van het museum. Ze vertelde over de prachtige mahoniehouten kast en zijn wens daarin een compleet servies te plaatsen, en, als alles klaar was, één van de brede deuren op een kier. Maar helaas, over zo'n servies beschikte het museum niet. En andere spullen op de planken zetten zou teleurstelling oproepen bij de bezoekers, want in een porseleinkast hoort een servies.

René had die avond gezegd: „Ik weet sinds kort dat ergens, Charlotje, zo'n prachtig servies staat! Een volledig, antiek servies. Het is nooit gebruikt, het zou ook zonde zijn als er iets van brak, het is gewoon: pronk. Maar het is schitterend!! Ik hou het voor je in de gaten." En nu belde hij. Zou er goed nieuws zijn?

„Charlotte, met René. Ik ben bij je in de buurt. Is het goed als ik even langskom? Praten over het servies van mevrouw Van Waardenburg-te Nierop. Prachtige naam, hè? Er is een kansje voor je! En ik heb iets leuks ontdekt, ik wil je dat vertellen. Een aardigheidje voor de familie Palensteijn. Maar," zijn luide lach daverde in haar oor, „ik vermoed dat jullie er van op de hoogte zijn. Ik wil jou mijn verbazing laten horen. En je weet dat ik me niet snel meer verbaas, ik heb al zoveel gezien en gehoord! Vooral in ons wereldje. Rond elf uur, komt dat voor jou goed uit?"

„Prima. Om die tijd heeft de baby haar bruluurtje en mijn moeder belt om vijf over elf, maar de koffie staat klaar."

„Dat maakt alles goed. Tot straks!"

René de Wit was een man van rond de vijfenveertig jaar. Een grote, brede vent met een wilde, blonde kuif, helderblauwe ogen en een mond die vrijwel altijd praatte. Zo kende Charlotte hem in elk geval. Haar werk en zijn werk hadden hen bij elkaar gebracht, twee mensen met dezelfde belangstelling.

De grote, donkere wagen van René stopte voor het huis. Charlotte opende de voordeur.

„Hallo, Charlotje," zijn stem was zoals altijd uitbundig. „Hoe gaat het hier? Met jou, met Vincent en met jullie dochtertje?"

„Het gaat met ons alle drie prima. Kom binnen. In jouw leven ook alles naar wens?"

„Och, naar wens, je weet dat Anne en ik gescheiden zijn. Er was geen andere oplossing, maar een scheiding is vrijwel altijd een nare oplossing. Het was niet de bedoeling toen we trouwden."

Ze liepen door naar de huiskamer. René ging op de bank zitten, Charlotte schonk koffie in.

„Ik vertel je het vervolg van de zaak: het servies van de erven Van Waardenburg. Het is een schitterend servies, van Duitse makelij, prachtig van kleur en vorm. Het kan alle planken van jullie kast vullen. En ik heb het snel nagekeken op het duplicaat van de lijst die naar de notaris is gegaan: het servies is niet door één van de neven of nichten geclaimd. Ik heb

Johannes verteld over de plannen van Klaas Scheltema, directeur van het museum. Ik heb het op een goede manier gedaan" – Charlotte knikte, ze verwachtte niet anders – „niet te juichend, maar ingetogen pratend over de vreugde die de bezoekers zullen voelen bij het zien van het prachtige servies. Ik heb hem, als een kleine hint, gewezen op de mogelijkheid een bescheiden kaartje in de kast te plaatsen met de vermelding dat dit servies uit de nalatenschap van het echtpaar Van Waardenburg-te Nierop afkomstig is.

De neef begreep mijn bedoeling; het is geen domme jongen. Hij grijnsde en beloofde aan het verlangen van het museum te denken. Dat verlangen is het servies voor een bedrag dat onder de eigenlijke waarde ligt, in bezit te krijgen. Hij zou het met de familie bespreken. Die besprekingen vinden steeds plaats in het huis aan de kade, de geest van tante Albertine zweeft om hen heen. En tantes gedachte: goed zijn voor elkaar en geen ruziemaken. En niet te hebberig zijn; elk krijgt de beschikking over mooie dingen en een geweldig geldbedrag.

Johannes weet dat er geen abnormaal hoge prijs voor het servies gegeven kan worden. Het museum draait op de inkomsten van bezoekers en subsidies. Johannes heeft me toegezegd dat het goed komt met jouw diggelen, zoals mijn grootmoeder kopjes en schoteltjes noemde."

„René, heerlijk!! Ik praat er morgen met Scheltema over! Hij zal er heel blij mee zijn. Buiten het gebruik voor de pronkkamer is het natuurlijk een waardevol bezit voor het museum. De groep zal er ook blij mee zijn. Ik schenk nog eens koffie in."

„Dan wil ik je nog iets vertellen. Ik heb het al als een kleine verrassing aangekondigd. Maar je kent me zo langzamerhand, ik geef er toch een inleiding bij om je de situatie duidelijk te maken." Hij lachte naar haar, Charlotte kende inderdaad zijn manier van praten. René nam de koffiekom van de tafel en dronk hem leeg. „Ik heb niet veel tijd, maar ik wil het je vertellen. Mijn jongste zus, Henriëtte, woont met man en kinderen in Borgerkarspel. Ik noem het buiten de stad, Henriëtte zegt: 'We wonen in een buitenwijk'. Haar jongste zoontje was zondag jarig. Ik kom over het algemeen niet op de verjaardagen van de familie, daarvoor heb ik geen tijd, maar Jimmy vierde op zondag zijn feestje. Hij werd negen en ik besloot naar Borgerkarspel te rijden om de jarige job en een deel van mijn familie te zien.

Toen ik binnenkwam, speelde Jimmy met twee vriendjes in zijn kamer. Maar, wist Henriëtte, het drietal zou snel de kamer binnenstromen, 'ze hebben de bel gehoord.' En dat gebeurde ook. Jimmy kwam binnen, gevolgd door twee jochies van dezelfde leeftijd. Een blond jongetje en een jongetje met een donkere krullenbol, mooie bruine ogen, en toen ik dat kind zag, was het of ik naar het evenbeeld van Vincent keek! Zo moet Vincent er in zijn kinderjaren hebben uitgezien! Mijn vraag is: welk familielid, een broer of een neef van Vincent,woont in Borgerkarspel?"

„Vincent heeft geen broer. Hij is het enige kind van zijn ouders. Ook zijn vader heeft geen broers, wel een zuster. Maar die zuster en haar man hebben geen kinderen."

René de Wit schrok heftig. Lieve help, wat had hij aangeroerd? Dit antwoord had hij niet verwacht. Wat had hij aangehaald door dit te vertellen? Wat zou hier achter kunnen steken? Hij hakkelde: „Jij zegt dat Vincent geen familie heeft in Borgerkarspel, dat Vincent geen broer of zus heeft... Hoe kan dit nou? De gelijkenis met dit ventje is echt bijzonder, maar jij weet niet van familie... Misschien moeten we verder terug, broers van zijn grootvader..."

„De grootvader van Vincent, de oprichter van het bedrijf, heette Vincent Frederik, zoals mijn Vincent. Hij kwam uit een flink gezin. Hij had wel broers en zusters. Mogelijk is het een achterkleinkind van een broer van opa Vincent, en heeft de natuur een wonderlijke grap uitgehaald door de uiterlijke kenmerken, die soms bij Palensteynen terugkeren, door te geven aan Vincent en aan dit jongetje. Men zegt wel eens dat de wonderen de wereld nog niet uit zijn. Dat is dan zeker in dit geval zo!" Ze voelde het veel te snelle kloppen van haar hart. Wat gebeurde hier? René moest weggaan, ze wilde alleen zijn om na te denken. Ze wilde zoeken naar de waarheid. Ze vroeg zich af of René zich vergist kon hebben, maar eigenlijk twijfelde ze daaraan niet. Ze kende René. Hij had gezien waarover hij nu vertelde.

René zag haar verwarring. Hij stotterde, iets wat hem bijna nooit overkwam: „Charlotte, wat kan dit zijn? Dit moet een kind van een verre neef van Vincent zijn; de gelijkenis is zo overtuigend."

„Ik weet het niet, maar ik zal het Vincent vanavond vragen."

„Charlotje, ik weet in welke richting jouw gedachten gaan, we zijn geen kleine kinderen, maar is het niet beter daarover, althans voorlopig, te zwijgen? Het is de eerste, voor de hand liggende veronderstelling, maar is het werkelijk zo? Waarvan verdenk je Vincent dan? Is het niet beter af te wachten? Eerst verder te zoeken?"

„Je weet dat ik hierover niet kan zwijgen. Vincent is mijn man."

„Ja, ja," knikte René de Wit. „Ik heb er spijt van dit aan jou te hebben verteld. Ik dacht aan het zoontje van een neef of een nicht. Maar ik weet wat jij denkt. Het is niet moeilijk te raden."

„Inderdaad niet. Ik heb even tijdens je verhaal gedacht aan iets wat mogelijk jaren geleden in het leven van mijn schoonvader gebeurd zou kunnen zijn. Het is een man die een geheim zijn leven lang met zich kan meedragen. Dit zou een kleinkind van hem kunnen zijn, wie weet!"

„Ik vind het vreselijk dit te hebben aangekaart, weet je dat? Ik dacht leuk over de gelijkenis van jouw man met een neefje te vertellen, maar daarvan ben ik na jouw reactie niet meer overtuigd. Ik wil graag bij je blijven om mogelijkheden te bepraten en een oplossing te vinden. We weten beiden dat praten vaak oplossingen naar voren brengt. Maar ik heb om één uur een belangrijke lunchafspraak en ik moet nog een halfuurtje rijden voor ik bij het afgesproken restaurant ben. Charlotte, nogmaals, het spijt me dat dit gebeurd is. Wie weet welke ramp eruit voortkomt."

„Ik wil dolgraag twijfelen aan jouw verhaal. Er zijn tenslotte meer jongetjes met donkere krullen en bruine ogen, maar ik ben ervan overtuigd dat jij het goed hebt gezien."

„Ja, helaas, Charlotte, er is geen twijfel mogelijk."

Hij liep naar de kamerdeur, draaide zich om en keek haar strak aan. „Charlotte, lieverd, als het is wat wij denken, zal het verschrikkelijk zijn, maar beheers je. Maak niet in één avond alles wat tussen jou en hem is, in je drift kapot! Denk aan wat daardoor tussen Anne en mij is gebeurd. Ik ben haar kwijt! Ik heb in wilde drift zoveel stuk gemaakt wat nooit meer geheeld kon worden. Doe dat niet, beheers je." Hij opende de deur naar de gang, bleef weer staan en zei: „Als je je boosheid en frustraties kwijt moet, bel mij dan! Maar roep geen woorden naar Vincent waarvan je later spijt zult krijgen. Ik zal je aanhoren, laat maar los wat je aan boze dingen tegen Vincent zult willen uitschreeuwen, maar doe het niet tegen hem!!"

Toen René was vertrokken, de vraag achterlatend of hij mocht bellen hoe één en ander was verlopen, liep Charlotte naar de kamer en ging op de bank zitten. Boven was het nog rustig, Loekie sliep.

Wat stond te gebeuren? Als Vincent het blonde meisje dat ze twee, drie keer in zijn flat had gezien, zwanger had gemaakt, maar niet wilde trouwen? Dat was de eerste, voor de hand liggende veronderstelling. Zou hij zo gemeen zijn? Of zou hij haar wijsmaken dat die meid hem in haar bed had gelokt om, als ze zwanger zou worden, hem te dwingen met haar te trouwen? Hij werd de directeur van een groot bedrijf, de houthandel had een goede naam. Ze zou in een mooi huis wonen, geen armoede kennen en Vincent was een aardige jongen.

Ze kon deze gedachte niet geloven. Vincent was vriendelijk en voorkomend, zeker tegen haar, ze kende hem al zo lang... Of hadden oom Frederik en tante Hedda bezwaar gemaakt tegen een huwelijk van hun zoon met een gewoon meisje uit de omgeving van Opland?

Vincent kwam laat thuis en was in een uitstekende stemming. Hij had goede zaken gedaan en was blij weer bij zijn vrouw en dochtertje te zijn. Ogenschijnlijk leek alles goed. Charlotte was wat gespannen, maar dat gebeurde vaker. Niet naar de oorzaak vragen, was over het algemeen de beste methode het snel voorbij te laten trekken.

Na de maaltijd en nadat Loekie naar bed was gebracht, wilde Vincent de televisie aanzetten om naar het nieuws te kijken, maar Charlotte probeerde zo rustig mogelijk te zeggen: „Nee, Vincent, wacht even. Ik moet je iets vertellen. René is hier vanmorgen geweest."

„Zo," hij hield zijn hoofd even schuin, hij kende het verhaal van het servies en de pronkkamer, „was er nieuws over de borden en de dekschalen?"

Ze vertelde het hem, waar haalde ze de blije toon vandaan. „Ja. Ik kreeg een lange verhandeling over het verdelen van de erfenis van mevrouw Van Waardenburg-te Nierop. Je weet hoe uitgebreid, maar ook hoe gezellig René kan vertellen. Het museum krijgt de kans het servies te kopen! Als Klaas Scheltema en de man die voor de erfgenamen de leiding in handen heeft, tot een goed akkoord kunnen komen natuurlijk." Ze weidde erover uit om tijd te winnen, pratend over de grootte en het mooie van het servies. Toen zei ze: „René is zondagmiddag naar de verjaardag van een neefje geweest. Het is het zoontje van zijn jongste zus en haar man. Die twee wonen met hun kinderen in Borgerkarspel."

Vincent knikte. Wonen in Borgerkarspel... Maar Charlotte voelde waakzaamheid in hem. „Bij Jimmy waren twee vriendjes om de verjaardag met de familie mee te vieren. Een blond manneke en een manneke met donkerblond, krullend haar en bruine ogen en René vertelde vol verbazing dat dat kind als twee druppels water op jou lijkt."

Vincent zakte in elkaar in de stoel. Zijn hoofd schudde langzaam heen en weer en bleef heen en weer schudden. Hij probeerde iets te zeggen, maar er kwam geen geluid over zijn lippen. Pas na enige tijd, terwijl Charlotte wachtte en zweeg, stamelde hij: „Nu weet je het, nu weet je het!! Nu weet je van het zoontje van Eline en mij. Charly, ik vertel je alles, maar heb geduld met me, geef me tijd, mijn hart slaat over van spanning, maar jij moet alles weten."

Ze wachtte. In haar hoofd bonsde de gedachte: Dus toch, toch een kind van hem en het meisje dat in de flat was. Ze hoorde zachtjes op de achtergrond, in herhaling, maar niet minder duidelijk, de woorden die René had geroepen: „Als het zo is, beheers je, maak niet alles tussen jou en hem in drift kapot!! Beheers je." Maar er volgden ook andere woorden: Hij heeft me bedrogen, hoeveel jaren al heeft hij me bedrogen! Het kind is acht of negen jaar! Hij heeft een kind en hij weet het al lang, hij gaf het direct toe. Opnieuw kwam de stem van René ertussendoor: Beheers je! Maar hoe kon ze zich beheersen nu ze dit wist.

„Ik heb je verteld dat ik een vriendinnetje had; in werkelijkheid was Eline in die dagen meer voor mij dan een vriendinnetje. We brachten veel tijd met elkaar door."

Charlotte hing verdoofd, niet in staat om goed te denken, in de stoel. Luisteren maar, afwachten wat ging komen. Ze was te verslagen om iets te zeggen of te vragen.

Vincent haalde diep adem. Nu moest hij het hele verhaal vertellen. „Tien of elf jaar geleden, tegen de kerstdagen, was ik in Oplande. Mijn moeder was er erg op gesteld kerstavond en eerste kerstdag met z'n drietjes door te brengen in ons huis. Ze vroeg me de zaterdag voor kerst thuis te blijven omdat jouw vader en moeder zouden komen. Dat was niks bijzonders, ze zagen elkaar als goede vrienden dikwijls. Maar die zaterdagavond zou jij met hen meekomen. Ik vond het leuk dat je kwam, maar ik had een afspraak met Eline en ik wilde die afspraak niet afzeggen. Dus ik zei moeder dat ik er niet zou zijn omdat ik een afspraakje had in Walkenaar. Moeder wilde weten met wie, en ik vertelde haar over een meisje dat ik had ontmoet en dat ik erg aardig vond. Dat gesprek vond in de ochtend plaats, in de keuken. Moeder en ik dronken daar een kopje koffie. Ze beval me, hoor je wat ik zeg, dit is er het enige juiste woord voor, ze beval me die middag om twee uur in de woonkamer te zijn omdat ze me een en ander moest vertellen.

Ze vertelde toen over de grote zorgen en problemen in het bedrijf en over de geestelijke toestand van mijn vader. Hij had zijn best gedaan het bedrijf goed te leiden, maar hij had er helaas de capaciteiten niet voor. Ik wist niet wat ik hoorde, het overviel me. Ik schrok vreselijk, het ging slecht met de zaak, hoe kon dat nou!! Mijn ouders hadden het voor me verzwegen. Ze wilden me niet ongerust maken, maar dat was natuurlijk onzin. Intussen stapelden de waarschuwingen en aanmaningen zich op op het bureau van mijn vader. Moeder praatte maar door. Ze praatte maar door. Ik werd er ziek van. Ik hoorde haar woorden wel, ik probeerde alles te volgen, maar ik had er grote moeite mee. Ik begreep dat moeder me dit die middag vertelde omdat ik haar 's morgens over een meisje had verteld dat ik heel aardig vond.

Daarop volgde het verhaal dat mijn ouders hun moeilijkheden en problemen met jouw ouders hadden besproken. Niet verwonderlijk, het waren goede vrienden. Jouw vader stelde voor zijn baan op te geven om te proberen het bedrijf Palensteyn weer op poten te krijgen. Daarnaast hadden jouw vader en moeder en mijn ouders vastgesteld, zomaar, zonder te weten hoe wij in werkelijkheid in Walkenaar met elkaar omgingen, dat tussen ons de vriendschap uit onze kinderjaren tot liefde was uitgegroeid. Jouw vader heeft daarbij nog de opmerking gemaakt dat wij helaas de spannende tijd van heftig verliefd zijn hadden overgeslagen. Voor ons was de vriendschap geruisloos overgegaan in liefde. We waren nu op de leeftijd dat we anders naar elkaar keken en andere verlangens speelden mee dan in onze kinderjaren. Ze waren ervan overtuigd dat wij gelukkig met elkaar zouden worden. Ik hoorde alles aan maar kon niet meer nuchter denken. Wat ik wel dacht, was: Charlotte was er altijd, Charlotte hoort ook bij mij.

Er rolde die middag dus ongelooflijk veel over me heen. Wat wel tot me doordrong, was de dreigende ondergang van het bedrijf. Het levensverhaal van mijn opa en oma was belangrijk voor me en nu ging dit gebeuren. Er werd tot die middag, als ik thuis in Huis Palensteyn was, weinig over het bedrijf gesproken. Ik moest me op mijn studie richten. Mijn ouders zwegen ook omdat ik te weinig van het bedrijf wist om erover te kunnen oordelen. En vader schaamde zich waarschijnlijk voor zijn falen. Hij hield zich flink als ik thuis was.

En bij dit alles kwam het praten over liefde tussen ons. Ik vond je aardig, ik vond je lief, maar ik voelde geen vlinders in mijn buik als ik je zag. Je was me zo bekend, zo vertrouwd.

Maar toen moeders woorden tot me doordrongen, wist ik dat jij, zonder erover na te denken, zonder erop attent te zijn, een grote plaats in mijn leven innam. Mijn moeder praatte over een huwelijk tussen jou en mij. Het zou een hechte verstrengeling worden tussen onze families."

In Charlotte welde de gedachte op: Een belangenverstrengeling. Jouw ouders hoopten dat de zaak weer zou floreren, mijn ouders wisten dat mijn grote wens: met Vincent trouwen, in vervulling zou gaan.

Vincent ging verder: „Je vader wilde het roer van Palensteyn-Houthandel overnemen. Hij zag kansen het zware tij te keren. Ik moest hieraan meewerken. Ik moest het bedrijf en vooral mijn vader redden. En jij was mijn Charlotte, ik hield meer van je dan ik me tot die middag had gerealiseerd.

Die volgende zaterdagmorgen reed ik naar Walkenaar. Eline zou in het begin van de middag komen. Ik was diep ongelukkig, ik zat in de put, en wist niet wat er moest gebeuren. Ik had aan alles wat mis was gegaan in het bedrijf totaal geen schuld, maar de last werd me toegeschoven en mijn arme vader…

Eline kwam. Toen ik haar zag, besefte ik dat zij de enige was met wie ik kon praten over alle ellende. Medestudenten en jongens die ik mijn vrienden noemde, nee. Maar Eline kende me. Ik stortte alle ellende over haar uit. Ik praatte en bleef praten en ik heb gehuild over mijn vader. Eline probeerde te troosten, maar ik kon en wilde niet getroost worden. Ze bleef luisteren, ze bleef lang naar me luisteren.

Toen vertelde ik haar dat er een oplossing in zicht was. Een vriend van onze familie wilde zijn baan opgeven om in ons bedrijf de touwtjes in handen te nemen. Eline reageerde opeens heftig. Dat mocht niet gebeuren! Ze riep: 'Vincent, dat moet je niet toestaan! Die man neemt het heft in handen en neemt de leiding van het bedrijf volledig over! Je vader en jij mogen korte tijd meedraaien in onbenullige functies, maar zodra de kans er is, smijt hij jullie eruit! En jij, Vincent Palensteyn,' ik weet nog hoe nadrukkelijk ze de naam Palensteyn uitsprak, 'jij hebt toch gestudeerd om een bedrijf te kunnen leiden? Binnenkort ben je klaar met je studie, dan heb je tijd om je ermee bezig te houden! Je kunt je er nu al in verdiepen; bijvoorbeeld door in de administratie te zoeken naar mogelijke fouten.'

We kregen ruzie. Eline wilde dat ik ophield met klagen en jammeren en medelijden met mezelf voelen. Ze zei dat ik een slappeling was en ik riep dat zij er niets van begreep. Zij wist niet hoe het was een familiebedrijf te hebben, zij wist niet hoe het voelde je vader geestelijk kapot te zien gaan.

Later heb ik me afgevraagd waarom ze me niet een paar uur de tijd gaf om me onder te dompelen in mijn verdriet. Ik wist me met alles geen raad; ze had me tijd moeten geven. Maar ze gaf me niet de gelegenheid me los te maken van alle narigheid. Dat was toch niet zoveel gevraagd? Gewoon in de stoel blijven zitten en wachten tot ik enigszins bij mijn positieven kwam? Maar achteraf denk ik dat ze niet wist hoe de situatie aan te pakken. Misschien was ze boos en in mij teleurgesteld. Ik was die avond geen flinke jongen."

Charlotte knikte. Eline was dus gewoon weggegaan. Ze vroeg: „Ze heeft niets gezegd over haar zwangerschap?"

„Nee, beslist niet. Ik heb later, veel later, toen ik wist van het kind en de datum kende van zijn geboorte, teruggerekend. Mogelijk wist ze zelf nog niet wat er aan de hand was.

Ik was die avond zo kapot dat het vertrek van Eline me niet raakte. Ik had het gevoel: dat kan er ook nog wel bij. Mogelijk verwachtte ik dat ze terug zou komen. Ik weet niet wat ik in die uren heb gedacht. Ik was teleurgesteld. Ik denk dat ik in een roes verkeerde. Ik had medelijden met mezelf, zag geen uitweg. Alles en iedereen was tegen me. Ze wist wat er over me heen was gekomen, maar ze begreep de omvang van de catastrofe niet. Waarschijnlijk kon Eline het niet aan. Wat kon ze ook doen?

De volgende dagen was ik verdrietig omdat het voorbij was tussen haar en mij, want ik hield echt van Eline. Mijn moeder noemde het kalverliefde, maar dat was het zeker niet.

In de weken daarna kwam ik langzaamaan tot mezelf. Jij kwam vaak langs en ik bekeek je met andere ogen. Je hoorde in mijn leven, je paste bij mij. Je was plotseling iemand anders dan het meisje in een geruit plooirokje en een rood jasje. Je was een mooie, jonge vrouw en ik begreep hoeveel je voor me betekende. Het was zoals je vader het heeft gezegd: geen heftige verliefdheid, maar opeens was de echte liefde in beeld."

„Eline is niet naar je toe gekomen om te zeggen dat ze zwanger was? Ze heeft je niet gebeld? Ze heeft je niet geschreven? Haar ouders hebben je er niet van op de hoogte gebracht?"

„Nee," was zijn korte antwoord.

„Dat is toch heel vreemd. Ik kan het me eigenlijk niet voorstellen. Je moest toch weten dat je vader werd?"

Vincent knikte en hij herhaalde zacht haar woorden: „Heel vreemd, ja." Hij zweeg even, zei toen: „Ik heb Eline na die avond niet meer gezien en ik hoorde ook niets van haar. Tot zaterdagmiddag in Walkenaar. Dat was ongeveer vier jaren later. Er was een feestmiddag op het Julianaplein. Ik was juist in de stad en ging even kijken." En hij vertelde wat er die middag gebeurde.

Charlotte luisterde met stijgende verbazing. Hoe was dit mogelijk en wat moest het voor hem een onwaarschijnlijk wonderlijke belevenis zijn geweest Eline terug te zien met een man en een juichend en opgewonden kind met een vlaggetje in zijn hand, een kind dat op hem leek, een kleine Vincent

Palensteyn. Heel herkenbaar, maar op dat ogenblik was het een kind dat hij nog nooit had gezien en waarvan hij het bestaan niet wist.

Ze wilde vragen: Waarom heb je het me toen niet verteld? Maar haar gedachten waren zo verward, er was een vreemde moeheid, een niet-begrijpen en misschien ook niet meer willen weten. Vincent had een kind; een zoon van negen jaar. Zij was zijn vrouw en zij wist het tot vandaag niet.

Vincent praatte verder: „Eline beloofde me dat ze de maandagmorgen daarop zou bellen. Nadat ze dat had gezegd, liep ze met die man en dat jochie snel weg en ik zakte totaal van streek neer op de vensterbank van een van de huizen in de straat."

Toen hij zweeg, keek Charlotte hem aan. „Ik weet niet hoe ik hierop moet reageren. Ik begrijp het hele verhaal niet goed."

„Het is geen verhaal. Het is werkelijkheid en zoals ik het vertel, is het gebeurd. Eline heeft haar zwangerschap, ik wil bijna zeggen onze zwangerschap, want het was ook mijn kind dat ze verwachtte, voor mij verzwegen. Ze wilde de jongen samen met haar man opvoeden."

„Als dat goed gaat, is het wellicht voor iedereen die bij dit gebeuren is betrokken, de beste oplossing. Wij zijn getrouwd, wij hebben Loekie. Zij zijn getrouwd en hebben de jongen."

„En een dochtertje. Een kind van die man en haar." Opeens schoot zijn stem luid uit: „Maar het is mijn zoon, hoor je, het is ook mijn zoon!"

„Dat is waar. Maar hij heeft de familienaam van Elines echtgenoot."

„Ik wil hem niet bij hen weghalen, los van het feit of dat wettelijk mogelijk zou zijn. Maar als je volhoudt en de juiste instanties inschakelt, kom je heel ver. Zover wil ik nu nog niet gaan. Het is een jochie van negen jaar en Eline zorgt goed voor hem. Maar ik wil en ik kan hem niet loslaten."

„Niet loslaten?" herhaalde Charlotte vragend zijn woorden, „je hebt hem nog nooit vastgehouden!"

„Nee, ik heb hem nog nooit vastgehouden. Maar hij is toch mijn kind. Zoals Loekie mijn kind is. Ik ken hem niet. Ik weet alleen hoe hij eruitziet." De laatste woorden kwamen wat wrang over zijn lippen.

Charlotte liet zich naar achteren zakken in de stoel en liet haar hoofd rusten tegen de leuning. Er was een vreemde moeheid die voelde alsof het nooit voorbij zou gaan en er was een gevoel van onrust, verbazing. Ze begreep de hele geschiedenis niet. Er ontbrak iets. Vincent had een zoon. Hij had haar er vanavond voor het eerst over verteld, hoewel hij het zeker al vijf jaren wist. Vanaf het feest in Walkenaar. Alles verwarde haar en de vraag bleef in haar hoofd dreunen: hoe kon dit gebeuren en waarom vertelde Eline hem niet dat ze zwanger was?

Ze moest erover nadenken. Niet meer luisteren, niet meer praten, alleen-zijn en nadenken over alles wat Vincent had gezegd.

„Je snapt dat alles één grote onduidelijkheid voor me is."

„Ja."

„Ik wil alleen zijn."

„Ik begrijp dat heel goed, Charly. Ik heb al zoveel nagedacht over dit gebeuren en waarom Elien het me niet vertelde. En over de vraag: Hoe moet dit verder zonder een antwoord te weten."

„Ik ga naar de logeerkamer. Laat me daar vannacht."

„Als je moe wordt van het piekeren, val je misschien in slaap en kun je het even loslaten."

Ze dacht aan wat René had gezegd: „Beheers je, zeg in je boosheid geen woorden waarvan je spijt krijgt." Hij had wellicht gelijk, maar het was moeilijk waar te maken.

„Of ik droom over vier kleine, donkerblonde krullenbollen." Ze wist niks anders te zeggen.

„Nee liefje, meer dan één is er niet. Maar hij houdt ons wel bezig."

De logeerkamer was een licht, ruim vertrek. Een breed bed, een lage, diepe stoel met zachte kussens, een tafeltje, een klein bureau, waarop, tegen de muur geleund, boeken stonden voor een logé die de slaap niet kon vatten.

Charlotte ging in de stoel zitten. Haar gedachten draaiden rond en rond, maar stopten steeds weer bij die ene vraag: Waarom zweeg Eline over de zwangerschap?

Vincent had van haar gehouden, er moest iets gebeurd zijn wat alles tussen hem en haar kapotmaakte. Of was er opeens iets in Vincent naar voren gekomen wat haar tegenstond? Waarvoor ze bang was en dat zo belangrijk was dat ze hem niet vertelde dat ze een kind van hem verwachtte? Of was het, zoals Vincent uitgebreid had verteld, de grote zorgen in het bedrijf en de wankele, geestelijke toestand van zijn vader? Was ze bang als ongewenste schoondochter beschouwd te worden door mensen die haar bij voorbaat door het verschil in stand niet wilden accepteren? Of wist ze van de vriendschap tussen Vincent en haar? Maar daarover had Vincent vanavond niets verteld. Het was ook onwaarschijnlijk dat Vincent tegen Eline jubelde over zijn gevoelens voor zijn jeugdvriendinnetje. En had hij die gevoelens die avond al?

5

Na het ontbijt de volgende morgen deed Charlotte de baby in bad. Loekie probeerde er trappelend met haar beentjes een waterballet van te maken. Daarna dronk het kindje rustig op mama's schoot de fles leeg. Charlotte legde haar in de reiswieg, zette de wieg op de achterbank van de auto, stapte in en reed naar de villa van haar ouders. Ze had haar komst via de telefoon aangekondigd. „Mam, ben je alleen thuis? Ik kom naar je toe met een heel bijzonder en vreselijk verhaal."

De reiswieg met de slapende baby werd in de slaapkamer van haar ouders gezet en moeder en dochter gingen tegenover elkaar in de lage stoelen rond de salontafel zitten.

„Lieverd," begon moeder Louise, „je hebt me aan het schrikken gemaakt met je zotte aankondiging dat je met een, hoe zei je het, bijzonder en vreselijk verhaal zou komen. Dat moet je niet meer doen. Ik schrok er echt van."

„Maar mam, het ís een bijzonder verhaal. Ik heb vannacht vrijwel niet geslapen. Ik had voor het bed in de logeerkamer gekozen." Verbaasde ogen van haar moeder, maar Charlotte praatte snel verder. Over het bezoek van René, ze noemde even het servies. Daarna vertelde ze over een vriendinnetje van Vincent. Louise Zandbergen keek verbaasd. Daar wist ze niets van. Frederik en Hedda blijkbaar ook niet, want ze had er nooit over gehoord. Wat maakte het uit, jongelui hadden wel van een vriend of vriendin, maar naarmate Charlotte verder vertelde sloeg het rustige luisteren om naar verbazing. Het meisje raakte zwanger. Ze had een kind, een zoon van hem.

Louises gezicht werd rood van opwinding, ze riep: „Charlot, stil, wacht, vertel niet verder! Ik bel papa, hij moet direct hierheen komen. Hij moet horen wat jij allemaal zegt! Dit is heel erg, dit is vreselijk! Ik bel Willem." Ze liep naar de telefoon.

Wat Willem op dit moment ook deed, dit was belangrijker dan alles wat op de zaak gebeurde.

Willem Zandbergen kwam, hij kuste zijn dochter. Het zou wel een storm in een glas water zijn, hoewel zijn vrouw over het algemeen niet snel in paniek raakte. Hij luisterde en zijn verbazing steeg met de minuut. „Wat zeg je nou, Vincent heeft een kind bij een andere vrouw!? En dat kind is intussen negen jaar en jij wist hier niets van? Hoe is dat mogelijk! En wij wisten hier ook niets van! En waarschijnlijk wisten zijn ouders hier ook niets van! Vincent, nee, Vincent doet zoiets toch niet? Wel dus! En hij vertelde het jou niet! Wat is dit voor zottigheid?!"

Charlotte keek hem recht aan. „Vincent had een vriendin voor wij trouwden. Hij hield van haar. Ze kregen onenigheid, om het zo maar uit te drukken, op de dag toen Vincent haar vertelde over de ellende en de moeilijkheden in het bedrijf. Toen hij vertelde dat jij, een goede vriend des huizes, de leiding in handen zou nemen, zei dat meisje, ze heet Eline, dat vader en zoon Palensteyn dat niet moesten doen!! Voor ze het wisten, had die vriend de teugels in handen en werden ze hun eigen bedrijf uitgewerkt!!"

Willem Zandbergen lachte. „Zo dom was dat dametje dus niet, want dat zal in veel gevallen inderdaad gebeuren. Maar hier niet! Frederik en Hedda zijn vrienden en Vincent is mijn schoonzoon. Maar daar wist het juffertje Eline die avond niets van; dat lag nog in de toekomst verborgen!"

„Vincent wist niets van het kind tot de middag waarop hij hem in Walkenaar zag bij een poppenkastvoorstelling op het Julianaplein." Ze kon het redelijk rustig zeggen, de ergste spanning was voor haar voorbij.

„Als die vrouw naar Grijpskerk of Sittard was vertrokken, had hij dus nooit iets van het kind geweten!" riep Willem Zandbergen.

„Mogelijk was dat voor iedereen de beste oplossing geweest," antwoordde Louise daarop.

Willem Zandbergen keek haar boos aan en tierde: „Onzin!! Onzin! Een man moet weten dat hij een zoon heeft! En nog wel een kind dat sprekend op hem lijkt."

Hij keek weer naar Charlotte. „Heeft die vrouw uit eigen wil gezwegen over wat er aan de hand was? Het is niet voor te stellen. De meeste meisjes die dit overkomt, willen trouwen met de vader van hun kind. En zo'n slechte partij was Vincent toch niet? Of is Vincent zo'n schurk dat hij het wel wist, maar er niets mee te maken wilde hebben?"

„Willem," riep Louise, „pas toch op je woorden! Je valt Vincent aan, hij is je schoonzoon."

„Dat kan me niks schelen. De waarheid moet boven tafel komen. De hele waarheid." Hij schudde voortdurend met zijn hoofd en klemde zijn handen in elkaar. „Wie bedenkt dit? Kwam hij zomaar met het verhaal op de proppen?" En cynisch voegde hij eraan toe: „Zo van: O ja, dat wilde ik je altijd nog eens vertellen, ik heb ergens een zoon."

„Nee paps. En maak er alsjeblieft geen grapjes over. Probeer rustiger te worden. Ik snap dat het jullie overvalt, dat gebeurde mij gisteravond ook. Je vroeg hoe Vincent en ik op dit onderwerp kwamen. Dat kwam door René de Wit, hij zocht me op om over iets voor het museum te praten." Ze vertelde het verhaal van de pronkkamer, de kast en het servies. Haar ouders luisterden. Louise zat stil met de handen in elkaar in haar schoot, Willem schudde af en toe met zijn hoofd. Charlotte vertelde uitgebreid, om tijd te winnen, over het gesprek met René. Er kwam wat rust in de kamer.

Toen ze haar verhaal beëindigd had merkte haar moeder op: „Door René kwam je het nu te weten. Wie weet hoe lang het nog had geduurd als dit praatje niet op je pad was gekomen!

En intussen loopt je man, van wie je denkt alles te weten, met zo'n groot geheim rond."

Charlotte schoof naar voren op de bank. „Jullie mogen er geen hetze van maken en je vooral niet tegen Vincent keren. Hij heeft het er heel moeilijk mee sinds hij Eline die middag in Walkenaar heeft gesproken. Eline is kort na de geboorte getrouwd en de jongen heeft de naam van die man gekregen. Wat ik nu weet over het hele gebeuren, is dat voorlopig alles blijft zoals het is. Maar Vincent wil het kind van een afstand volgen. Jullie mogen hem niet veroordelen alsof hij een slechte vent is. Je kent hem vanaf zijn kinderjaren, jullie waren altijd gek met hem en later, toen hij groter werd, was hij vriendelijk en betrouwbaar. Er was nooit narigheid. Hij werd verliefd op dat meisje. Hij had een flat in Walkenaar, dus de gelegenheid was er om de avonden bij elkaar te zijn. Ze waren jong en verliefd. De gelegenheid maakt de dief. En hou bij alles wat jullie horen vooral voor ogen dat Eline hem niet vertelde wat er aan de hand was. En," voegde ze er bijna stotterend aan toe, „denken jullie alsjeblieft aan mij! Ik ben met Vincent getrouwd, ik hou van hem, we hebben Loekie! Ik wil niet dat alles kapotgemaakt wordt door geschreeuw en verwijten! Ik wil proberen op een rustige manier de waarheid op te sporen! De hele waarheid!"

Willem Zandbergen boog zich naar zijn dochter toe. „Ik vind dit heel verstandige woorden, mijn meisje. Je had hem gisteravond ook in blinde woede het huis uit kunnen gooien. Maar als ik het goed begrepen hebt, bleef je luisteren."

„Ik hou al heel lang van Vincent, dat weten jullie. Voor mij was er maar één man met wie ik wilde trouwen en dat was Vincent. Ik weet nog niet hoe ik over deze geschiedenis moet denken. Ik heb ook gestudeerd, ik weet hoe studenten kunnen handelen en eigenlijk was Vincent wat dat betrof een keurige jongen. Hij had natuurlijk vriendinnen. Ik heb dit meisje een paar maal in zijn flat aangetroffen. Er kwamen daar meer meisjes over de vloer en ik zag haar niet als zijn, hoe zeg ik dat, zijn liefje. Nu het zo gelopen is, wil ik proberen er voor mezelf niet te veel emoties bij toe te laten. Maar het feit dat hij al vijf jaar weet van zijn zoon en erover heeft gezwegen, zit me wel dwars. Ik heb alles nog lang niet op een rij gezet. Het is nog zo vers."

Willem Zandbergen vond het flink dat ze haar man verdedigde. Ze was nog jong, de klap moest haar heftig bezeerd hebben, maar er kwam geen verwijt naar hem over haar lippen.

Er werd gepraat, er was zoveel te zeggen, tot de klok aanwees dat het halftwaalf was en geluidjes uit de slaapkamer lieten weten dat Loekie wakker was geworden.

„Ik haal haar wel uit het wiegje." Louise stond op. „Blijf hier een hapje mee-eten, Charlot. Ik heb babyvoeding voor Loekie."

Maar Charlotte besliste: „Nee, ik ga naar huis. Jullie weten nu wat er gaande is. Ik ben erg moe. Het hele gebeuren en het praten erover heeft me erg aangegrepen, maar dat begrijpen jullie wel. Ik weet nog steeds niet hoe ik erover moet denken. En ik weet niet hoe het verder moet en hoe ik het kan aanpakken. Ik bedoel: wat is het beste? Vincent het huis uitzetten, een echtscheiding aanvragen, de vader van Loekie wegsturen? Ik wil vanmiddag over alles nadenken. Niet zoals vannacht in het schemerdonker, alleen een klein lampje aan. Maar in het daglicht. Misschien zie ik het hele gebeuren dan duidelijker. Nu is het een nachtmerrie. Ik heb vannacht in de logeerkamer geslapen, ik moest alleen zijn. Maar alles tolde in mijn hoofd door elkaar; te veel gedachten en te veel gehoorde woorden waar ik bijna radeloos van werd."

Ze liepen naar de auto. Willem Zandbergen droeg de reisweig waarin Loekie lag. Het kindje maakte lieve, pruttelende geluidjes en keek met grote blauwe ogen naar hem.

Hij vroeg: „Hoe wil je dit regelen met je schoonouders?" Hij praatte vlug, hij verwachtte dat ze zou zeggen: Dat komt nog wel, daarom praatte hij door: „Mam en ik zijn al jarenlang goede vrienden van Frederik en Hedda. En ik zit elke dag met hem in hetzelfde kantoorgebouw. Wij kennen elkaars zorgen en verdrietjes. Ik vind dat zij vandaag nog van deze geschiedenis op de hoogte gesteld moeten worden. Voor Frederik mij vraagt wat er aan de hand is. Ik kan niet geheimzinnig tegenover hem zijn."

„Ik weet zeker dat Vincent het niet kan opbrengen de hele geschiedenis vandaag nog aan zijn ouders te vertellen. Het borrelt al jaren heel onrustig in hem, nu het naar buiten is gekomen, weet hij niet of er een oplossing is en als die oplossing er al zou zijn, hoe die dan is."

„Ik heb het begrepen." De besliste toon van Willem Zandbergen; Charlotte kende die stem van hem zo goed. „Dan rijden mama en ik vanavond naar Oplande om het te vertellen."

Charlotte zuchtte. Echt vader: doorduwen. Ze antwoordde hem: „Doe dat maar. Ik weet niet hoe het anders moet. En ze moeten dit weten."

In de middag was het stil in de villa. De wind ritselde door de takken en bladeren van de berken en de hoge linde in de tuin en het regende af en toe zachtjes.

Charlotte zat op de bank. Haar rug tegen de leuning gedrukt, de voeten plat naast elkaar op de vloer, de handen met de palmen naar boven open in haar schoot. In deze houding probeerde ze in moeilijke ogenblikken kalmte te vinden, met zichzelf in gesprek te gaan en deze middag kwam daarbij hopen op wijze gedachten, want wat moest ze doen en wat kon ze doen? Haar gedachten sprongen van het ene naar het andere onderwerp. Ze had voor het weggaan vanmorgen tegen haar ouders gezegd: „Ik wil er vanmiddag, alleen in huis, over nadenken."

René had gewaarschuwd niet in snel oplopende drift vreselijke dingen naar Vincents hoofd te slingeren: René kende haar temperament. Fel als het even tegen liep. In dit geval, een opkomende woede... Haar man, inderdaad, haar man wist al vijf jaar dat hij een kind had! Hij ontmoette de moeder van het kind in de voorbije jaren meerdere malen en zij wist van niets! De huichelaar!! Ze had hem gisteravond meteen het huis uit moeten zetten. Vertrek onmiddellijk, schijnheilige leugenaar!! Alleen vriendinnen, alleen met ze lachen en praten, ja, ja...

Maar René, ondanks de opkomende boze gedachten dacht ze aan hem, René had gezegd: „Beheers je, Charlotte, beheers je." Die waarschuwing bleef om haar heen hangen. Wellicht was het, als je rustig en nuchter kon nadenken, een goede raad. Op de weg van woede is terugkeren moeilijker dan op de weg van rustig blijven. René wist het uit bittere ervaring in zijn huwelijk met Anne.

Gisteravond vertelde Vincent over de laatste avond met Eline in zijn flat aan de Kastanjelaan in Walkenaar. Hij had haar deelgenoot gemaakt van de zorgen in het bedrijf en het verdriet om zijn vader. Eline luisterde naar hem, ze kende de narigheden die hij opnoemde niet. Het moest als een onthutsende overstroming over haar heen zijn gespoeld. Ze had gedacht: Het bedrijf in Koperwille is een prachtig bedrijf!! Maar nu klonken de woorden geldgebrek, schulden, een dreigend faillissement. Daarnaast Vincents zorg over zijn vader. Eline had zijn ouders nooit ontmoet. Zij kwamen weinig naar Walkenaar en Vincent nam haar niet mee naar Huis Palensteyn.

Na lang luisteren had Eline gezegd dat hij een doemdenker was. Hij moest positief denken, maar hoe kon Vincent positief denken als alles negatief was? Dat is jezelf voor de gek houden. Maar Eline had volgehouden dat het ondenkbaar was dat zo'n prachtig bedrijf zomaar naar de knoppen ging! Er kwamen toch orders binnen en alle opdrachten werden uitgevoerd? Er moest een oplossing zijn. Wat hij die avond deed: jammeren en kermen, was niet goed! En hij had toch gestudeerd om een bedrijf te kunnen leiden? Nou dan, nog even en hij kwam van de universiteit, hij kon nu al in de boeken snuffelen naar waar de fouten zaten.

Op haar woorden had Vincent waarschijnlijk geroepen dat zij er totaal niets van begreep, dat ze als een kip zonder kop kakelde over het leiden van een bedrijf. Waar had zij verstand van? Alleen van aktes en overeenkomsten tikken op de bank!! Het liep uit op ruzie. Eline was weggegaan. Zo had Vincent het gezegd: „Eline ging weg."

Ze had hem gevraagd of Eline over haar zwangerschap had gesproken. Nee, met geen woord. De enige mogelijkheid was dat ze het zelf nog niet wist. Goed, laat dat zo geweest zijn, maar dan was het toch hoogst merkwaardig dat ze hem, toen ze het wel wist, niets had gezegd? Nog steeds vreselijk boos? Zoals Vincent over hun relatie praatte, was er liefde tussen hen. Als ze wel naar hem toe was gekomen en het hem had gezegd, hoe was het dan gegaan tussen Vincent en haar?

De laatste middag in de flat was hectisch verlopen, maar in de dagen daarna keerde vast het weten terug dat er tussen hen meer was dan vriendschap, dus waarom ging ze niet naar hem toe om het hem te vertellen, waarom belde ze niet, waarom schreef ze hem niet?

De enige manier de waarheid te horen, was het aan Eline vragen.

Dit antwoord op haar vraag bleef haar bezighouden. Was het mogelijk, durfde ze Eline te benaderen en hoe zou Eline reageren? Het antwoord, Charlotte Palensteyn, is simpel: je moet het haar vragen.

De vloer in de ruime hal en de brede gang van Huis Palensteyn waren belegd met zwarte en witte tegels. Ze waren niet 'om en om' aangebracht, het patroon was op een bijzondere wijze gekozen en gaf een mooi contrast in licht en donker. In de hal stond een antieke kist, versierd met Chinees houtsnijwerk en Chinese tekens. In de gang hingen aan de wit gepleisterde muren drie schilderijtjes. Een zeegezicht, de keuze van Frederik, een stilleven, uitgezocht door Hedda en een afbeelding van een snoezig huisje, verscholen onder het groen van volle boomkruinen, waarvoor ze allebei gevallen waren. Kleine ramen, roodwitte luiken en witte gordijntjes achter het glas.

Hedda Palensteyn liep van de keuken door de gang naar de huiskamer toen de telefoon rinkelde. Ze liep naar het grote bureau dat aan de achterzijde tegen de wand stond en nam op. „Mevrouw Palensteyn."

„Hedda met mij, Louise."

„Ik hoor het, meisje." Ze hadden de gewoonte elkaar nu en dan meisje te noemen. Het klonk jong en genoeglijk. „Je klinkt nogal opgewonden."

„Ik ben ook opgewonden. Willem en ik moeten jullie een heel wonderlijke geschiedenis vertellen. Ik zeg je nu al dat het niets met ziekte of dood te maken heeft. Denk daar dus niet aan. We komen vanavond naar jullie toe."

„Je maakt me aan het schrikken, Louise. Wil je me zeggen in welke richting ik moet denken? Anders haal ik me in de loop van de dag onwaarschijnlijke zaken in het hoofd die er, als ik hoor wat er is gebeurd, niets mee te maken hebben. Onnodige spanningen dus."

„Nee, ik kan er niets over zeggen. Dat hebben Willem en ik

afgesproken. Ik wil nog wel zeggen, Hedda, dat onze vriendschap van zoveel jaren en meer nog de vriendschap tussen Frederik en Willem, die al vanaf hun jongensjaren dateert, tegen een flinke stoot moet kunnen. Ik leg nu neer. Ik wilde je op onze komst voorbereiden. We zien elkaar vanavond. En pieker niet te veel over wat het kan zijn," toch even een lachje, „ik ben ervan overtuigd dat de waarheid te onwaarschijnlijk is."

Hedda legde de hoorn neer. Ze haalde haar schouders op. Louise was een schat, ze wilde over haar geen kwaad woord horen, een vriendin uit duizenden, maar soms draafde ze een beetje door. Frederik vond dat ook. Hij had eens lachend gezegd: „Louise had toneelspeelster kunnen worden. Misschien wilde ze dat ook toen ze zestien was. De familie Verpoorte vond toneelspelen vast wel een eerbaar beroep, maar de mensen die Louise in die omgeving zou ontmoeten, waren niet van het genre dat haar ouders voor hun dochter wilden uitzoeken."

Frederik kwam even na halfzeven thuis. Over het algemeen gebruikten ze, zoals Hedda het noemde, het diner om zeven uur.

Ze zat in de stoel voor het raam, ze kon de zwarte auto over de Oplanderweg zien naderen. Ze bleef in de woonkamer, ze liep hem niet tegemoet met nieuwsgierige vragen als: „Weet jij wat er aan de hand is met Willem en Louise?" of: „Heeft Willem iets tegen jou gezegd?"

Frederik kwam binnen en ze wist: hij weet niets. Hij lachte, zette de dikke diplomatentas naast de kast en zei: „Keurig op tijd, hè?"

„Ja, keurig op tijd. Ik zal Jannie het seintje geven dat ze kan opdienen, maar ik wil je eerst iets vragen." Ze sloot de kamerdeur. „Heeft Willem vandaag nog iets tegen je gezegd?"

„Hij is vanmorgen vroeg op de zaak geweest, dat heb ik gehoord. Ik veronderstel dat hij daarna naar Rotterdam gereden is omdat hij een gesprek had met De Groot. Ik noem hem, populair, onze inkoper Afrikaans hout. En Willem had een afspraak met een reder over het vervoer van een lading hout uit een van de landen daar aan de kust. Hoezo? Je ziet er opgewonden uit."

„Ik ben ook onrustig. Louise belde vanmorgen." Ze vertelde over het telefoongesprek.

Frederik Palensteyn knikte. Zo, zo, en wat zou de verrassing zijn? Hij zei, terwijl hij zijn stoel een stukje van de gedekte tafel schoof: „Geef Jannie het seintje, ik heb trek." Hij ging op de stoel zitten. „We moeten afwachten waarover het gaat. Over het algemeen doet Louise niet zo geheimzinnig. Ik wil niet zeggen dat ze een flapuit is, maar toch... Mogelijk heeft Willem gezegd dat ze hun komst voor vanavond moest aankondigen, maar niet mocht praten over wat te gebeuren staat. Misschien," hij keek naar de kamerdeur, maar Jannie kwam nog niet met het voorgerecht, „misschien hebben ze plannen om een cruise te maken. Ik heb daar iets over gehoord."

Hedda gaf geen antwoord. Dat was het zeker niet. Daarover zou Louise beslist iets gezegd hebben. Maar misschien vroegen ze hen met hen mee te gaan! Leuk plan, een cruise, maar varen en vooral over een groot water, hoge golven, ze wist niet of ze dat zo leuk vond.

Tijdens de maaltijd roerde Frederik het onderwerp niet aan en Hedda wilde er ook niet over beginnen, want wat moest ze erover zeggen; ze wist nog niets.

Vroeg in de avond arriveerden Willem en Louise. Hij droeg een vlot, ruim pak. Hij had er een hekel aan in zijn vrije tijd keurig gekleed te gaan, het liefst droeg hij een dunne, flanellen broek en een wijd, tricot overhemd, maar dat vond Louise niet netjes. Louise zag er zoals gewoonlijk goed gekleed uit.

Donkerblauw pakje en licht bloesje. Hedda overdacht dit alles even, hoewel, belangrijk was het natuurlijk niet. Het ging om de vrienden die bij hen kwamen.

Na een korte begroeting zei Willem: „Jongens, ga zitten. We moeten jullie iets vertellen. Het heeft ons bijna uit onze stoelen doen vallen van verbazing en ook van schrik en ik verwacht dat het voor jullie niet anders zal zijn. Ik leid het onderwerp in, zodat jullie weten in welke richting het gaat.

Vanmorgen vroeg kwam Charlotte met Loekie in de reiswieg naar ons huis. Ik was al op de zaak. Charlotte had haar komst aangekondigd. Ze riep door de telefoon dat ze een bijzondere, vreemde geschiedenis kwam vertellen."

Willem knikte naar Louise, die het gesprek overnam. „Ik schrok van haar woorden. Wat betekende dit nou? Maar ik schrok nog meer van ons meisje zelf. Ze zag er vreemd uit. Haar gezicht was rood en haar ogen stonden wild en fel. Ze struikelde over haar woorden en dat gebeurt Charlotte bijna nooit. Ze riep: 'Mam, luister!!' Ik loodste haar naar de kamer en maande haar tot kalmte. Een glas water hielp gelukkig een beetje. Ze vertelde dat René de Wit bij haar was geweest. René is makelaar en daarnaast heftig geïnteresseerd in antiek. Hij spreekt Charlotte wel eens vaker in het museum. Hij vertelde tijdens de koffie dat hij zondagmiddag op bezoek was geweest bij zijn zus en zwager; zij wonen in Borgerkarspel. Hun zoontje Jimmy was jarig."

Louise vertelde verder. Ze sprak de woorden langzaam uit, want nu kwam het eigenlijke onderwerp. Ze keek naar de gezichten van Frederik en Hedda. Ze kon het nieuwsgierig afwachten noemen. Niet echt aandacht voor het onbekende vriendje van de onbekende Jimmy. Louise sprak de heikele woorden uit: „Hij zag daar een jongetje met donker, krullend haar en bruine ogen dat als twee druppels water op Vincent lijkt."

De trek op de gezichten van Frederik en Hedda veranderde van goedmoedig luisteren in opperste verbazing. Louise praatte door, met opwinding in haar stem: „Toen Charlot dat had gezegd, riep ik: 'Stop, stop alsjeblieft, kind, wat is dit voor nonsens? Ik bel je vader, hij moet direct komen om dit te horen.'"

Willem nam het gesprek weer over. „Ik reed onmiddellijk naar huis en Charlotte vertelde mij hetzelfde verhaal. René de Wit had gezegd: 'Het moet, het kan niet anders dan dat het een kind van Vincent is! De gelijkenis is te frappant.' Jullie begrijpen dat Charlotte niet wist wat ze hoorde. Maar, dacht ze, dit is natuurlijk onzin. Dat jochie kan toch geen kind van Vincent zijn? Waarschijnlijk een kind van een ver familielid, een nazaat van een kleinzoon van een broer van overgrootvader of zo. En door een wonderlijke speling van de natuur vertoont de jongen uiterlijk gelijkenis met Vincent. Donkerblonde krullen en bruine ogen. Hoeveel kleine jongens hebben dat? Heel veel toch?"

Willem bleef doorpraten om Frederik en Hedda van de eerste schrik te laten bekomen. Maar het ergste moest nog volgen.

„Vincent kwam gisteravond thuis in een prima stemming. Hij had goede zaken gedaan en was blij weer thuis te zijn. Na de maaltijd en nadat Loekie naar haar bedje was gebracht, vertelde Charlotte dat René de Wit op bezoek was geweest en wat René had verteld. Ze vertelde ons het hele gesprek tussen die twee. Ik vertel het jullie nu."

Hedda en Frederik staarden hem aan en Frederik stotterde: „Vincent, onze Vincent heeft ergens een kind. Dat begrijp ik uit wat je vertelt! Maar bij welk meisje dan? Hij heeft nooit een meisje mee naar huis gebracht en aan ons voorgesteld als zijn vriendin!"

Hedda schoof in haar stoel naar voren en begon met trillende stem te praten. „Hij heeft korte tijd een vriendin gehad. Hij ontmoette haar in de trein of op het perron van Langeveld toen hij uit Walkenaar naar huis reisde. Ze kwam, geloof ik, uit Rodeveld.

Hij vertelde me dit alweer enkele jaren geleden, in de tijd van de misère in het bedrijf. Het was op een ochtend, we dronken koffie in de keuken. Ik vroeg hem het volgende weekend thuis te komen omdat jullie, met Charlotte, die zaterdagavond bij ons zouden komen. Hij zei dat hij voor die avond een afspraak had met dat meisje en dat hij die afspraak niet kon afzeggen. Ik gebood hem toen min of meer die middag in de woonkamer te komen omdat ik hem belangrijke zaken moest voorleggen. Ik vertelde hem over de problemen in het bedrijf en onze zorgen om Frederik en ik voegde daaraan toe dat Willem wilde proberen de zaak uit de financiële narigheid te halen. Ik zei hem ook dat Charlotte van hem hield en dat hun jarenlange vriendschap, naar onze mening, tot liefde was gegroeid.

Na ons gesprek is hij naar zijn kamer gegaan. Hij heeft bij ons gegeten, maar hij repte met geen woord over het gesprek dat tussen hem en mij was geweest. In de weken daarna heeft hij er ook niets over gezegd. Wat tussen hem en dat meisje is besproken, weet ik natuurlijk niet. Ik vermoed dat Vincent een einde aan het avontuurtje heeft gemaakt omdat hij er zich door mijn woorden van bewust was geworden dat hij met andere meisjes spelletjes speelde, wilde kijken of het hem lukte contact met ze te leggen, maar dat zijn echte liefde toch Charlotte was."

„Maar," vroeg Frederik, „dat zotte verhaal, hoe is het nu met dat kind? Is het echt een kind van Vincent? Heeft Charlotte jullie verteld dat Vincent heeft toegegeven dat het zijn kind is? Maar dat is toch onmogelijk?"

„Ik ga verder met het verhaal," zei Louise. „Vincent en

Charlotte trouwden. Ongeveer vier jaar later was Vincent op een zaterdagmiddag in Walkenaar." Ze vertelde alles, tot en met wat de vorige avond in de villa in de Rozenlaan was gezegd.

„Lieve deugd," stamelde Frederik Palensteyn, „dit is toch niet te geloven! Hij liep dus vanaf de dag waarop hij dat meisje en zijn kind zag, de middag van de waarheid, met dit geheim rond! Als ik alles goed heb gevolgd, is dat een periode van vier, vijf jaar! En geen woord tegen Charlotte! Geen woord tegen ons! Hij was natuurlijk bang voor de gevolgen. Hij vreesde een echtscheiding. Dan was hij zijn vrouw kwijt!" Frederik Palensteyn schreeuwde de woorden uit.

Er werd lang, heel lang over gepraat.

Hedda stelde: „Frederik en ik zullen Vincent zeggen hier te komen om over deze geschiedenis te praten. De waarheid moet op tafel komen. En het is heel belangrijk hoe Charlotte hiermee verder wil. Door zijn zwijgen tegenover haar heeft Vincent een heel grote fout gemaakt. Charlotte weet dat veel studenten hebben wat Frederik vroeger noemde loslopende vriendinnetjes, maar zo loslopend is het die ene keer voor Vincent niet geweest. Wat is het beste voor ons om te doen? Als Charlotte van Vincent houdt en begrip kan opbrengen..."

„Het lijkt me het beste, Hedda," viel Willem haar in de rede, „om af te wachten. Wij moeten over dit gebeuren onze gedachten laten gaan en datzelfde geldt voor de kinderen."

„Voor Charlotte moet het verschrikkelijk zijn," merkte Frederik op, „want wat kan en moet ze doen? Vincent kan niet anders dan afwachten hoe over hem beslist wordt. Het zal een moeilijke tijd voor de jongen worden, maar hij is zelf de oorzaak van de narigheid. En naar mijn mening is hij er op een onverstandige manier mee omgegaan. De waarheid boven water brengen is in bijna alle gevallen het beste."

Willem en Louise waren vertrokken. Het was diep in de nacht. Hedda Palensteyn hing meer in de diepe, zware fauteuil dan dat ze erin zat. Deze houding paste niet bij haar, maar ze was moe, ze had hoofdpijn en wist niet meer wat ze moest denken. En dat gebeurde Hedda niet dikwijls. Vincent, lieve jongen, wat heb je gedaan. Ze herinnerde zich dat hij iets over dat meisje uit Rodeveld had gezegd. Het was twee of drie weken voor het ernstige gesprek. Vincent vertelde over het algemeen niet veel over zijn doen en laten in Walkenaar en Frederik en zij vroegen er niet naar. Vincent vertelde wel over de studie, de vakken waarmee hij moeite had en de vakken welke hij gemakkelijk kon volgen.

Die middag had hij heel kort over het meisje verteld. Zij had met een glimlach geluisterd. „Ze is zo mooi," ze herinnerde zich de klank van zijn stem toen hij dat zei, „haar ogen zijn heel lichtgrijs en..." Ze had even willen zeggen: „Lieve jongen, aan een paar mooie ogen heb je niet veel." Nu wist ze, en het bracht toch een klein lachje om haar mond, dat er meer was in dat meisje wat hem aantrok. Ze had er toen geen aandacht aan geschonken. Het was een bevlieging en zou snel voorbijgaan.

„Waaraan denk je?" hoorde ze de stem van Frederik.

„Niet aan iets speciaals. De hele geschiedenis houdt me natuurlijk bezig. Ik heb medelijden met onze jongen. Het is zijn eigen domme fout geweest, dat weet ik, zeg daar maar niets over, maar hij zit nu in de problemen en dat doet me pijn. Als Charlotte het hoog opvat, en dat kan ik me heel goed van haar voorstellen, en ze wil scheiden, raakt hij zijn vrouw en zijn dochtertje kwijt. En wie weet hoe Willem zich opstelt! Het is tenslotte zijn dochter die dit overkomt! Ik heb tot nu toe nooit met zijn driftige, opvliegende buien te maken gehad, maar jij hebt daar meerdere malen iets van gehoord en gezien."

„Willem kan inderdaad heel fel zijn. Ik verwacht dat er in dit geval berusting zal zijn, maar inderdaad, Charlotte is zijn dochter. Zijn lieveling, zijn oogappel. Wat ik aan heftig optreden van Willem heb meegemaakt, lag op het zakelijke vlak, misschien benadert hij dit met andere gevoelens. Willem en Louise zullen het vreselijk vinden als het huwelijk van hun dochter strandt."

Het bleef even stil, de laatste woorden had hij op gewone toon gezegd, zoals Frederik meestal praatte, maar hij voegde er nu luid aan toe, en Hedda schoot even rechter in de stoel: „Maar uiteindelijk heb jij ervoor gezorgd dat het meisje dat Vincents kind bij zich droeg uit ons leven verdween! Jij hebt Vincent plompverloren gezegd dat het het beste was als hij met Charlotte trouwde!! En dat moest snel gebeuren! Je gaf de jongen geen gelegenheid over de hele geschiedenis na te denken!"

Hedda keek hem met felle ogen aan en haar stem schoot ook uit: „Hij wist niet dat ze zwanger was! En als jij met je domme streken de zaak niet naar de knoppen had geholpen, hoefden we Willem Zandbergen er niet bij te halen! Je ziet wat er nu gebeurt! Hij heeft aandelen in het bedrijf dat alleen van Palensteyn had moeten blijven! Dan hoefde Vincent niet met Charlotte te trouwen om Willem en Louise op je hand te krijgen om geld in de zaak te storten! Dan had Vincent dat meisje uit Rodeveld in de familie gehaald en was er een opvolger geweest!! De jongen lijkt op Vincent, je hebt het gehoord. Maar hij is officieel geen familie. Wij wisten niet eens van zijn bestaan!" Hedda zweeg, probeerde haar ademhaling weer op orde te krijgen, ze was boos op Frederik, de schuld naar haar toeschuiven, maar zo was het niet!

Frederik keek haar met een bange blik in zijn ogen aan. Zo'n uitval had hij niet verwacht en ze had gelijk. Hij zocht meteen weer een excuus voor zichzelf. Hij was zo kapot van alles wat met hen gebeurde. Hij zei: „Als alles zich ten goede keert tussen Vincent en Charlotte, hebben zij volgend jaar hopelijk een jongetje in de wieg. En het maakt dan niet uit op wie het kind lijkt, het zal zeker een zoon van Vincent zijn."

Hedda had zich weer enigszins hersteld. „Maar aan wie de vader van het jongetje in Borgerkarspel is hoeven we niet te twijfelen. En ik zie Vincent en Charlotte eerder uit elkaar gaan door deze misère dan in liefde een kind verwekken! Ik ben bang dat we veel zorgen op ons pad krijgen. Als alles goed en rustig rond Willem en Louise verloopt, is het heerlijk met ze om te gaan, maar als ze getergd worden, laten ze hun klauwen zien. Ik weet dat Willem een geducht tegenstander kan zijn. En Charlotte is een dochter van hem. Het is natuurlijk heel belangrijk hoe zij op een en ander reageert.

Hedda knikte alleen. Frederik leek hierin op zijn vader. Eén van diens uitspraken was: „Een zakenman moet zorgen voor een zoon. Maar een tweede zoon in het gezin kan ruzie en onrust brengen." Een zotte gedachte.

Ze hoorde Frederik zeggen: „Als het op herrie uitdraait in de Rozenlaan, komt er geen baby meer."

Kort na de geboorte van Loekie had Frederik naar buiten toe laten weten blij te zijn met zijn kleindochter, en dat was hij ook wel, maar thuis had ze zijn lichte teleurstelling duidelijk gemerkt.

In de villa van de familie Zandbergen waren Willem en Louise diezelfde nacht, het was ver na drie uur, nog in de woonkamer. Louise zat op de bank, Willem liep door de kamer, van het voorraam naar de schuifpui en weer terug.

„Weet je wat mij verbaast?" hij sprak de woorden wel op een vragende toon uit, maar gaf er zelf meteen het antwoord op: „Dat Charlotte hem niet meteen het huis heeft uitgezet toen hij toegaf met dat grietje meer gedaan te hebben dan haar zoenen!"

„Nou, nou, bedaar alsjeblieft!! Hij had min of meer verkering met dat meisje en wat ze gedaan hebben is niet goed te praten, maar er zijn duizenden jonge mensen die hetzelfde overkomt als zij. En," voegde ze er op een scherp toontje aan toe: „Frederik en Hedda kochten een flat voor Vincent omdat hij rustig moest kunnen studeren. Maar op die manier geef je als ouders wel gelegenheid."

„En toen het gebeurde," voegde hij eraan toe, „was er tussen Vincent en Charlotte een hechte vriendschap. Van haar kant was er al echte liefde, van zijn kant nog niet. Of," Willem bleef voor de bank stilstaan, „was het misschien opzet? Wilde ze Vincent tot een huwelijk dwingen?"

„Dat is een gemene veronderstelling. Je weet niet hoe de verhouding tussen die twee was."

„Dat is waar, dat weet ik niet. Maar ik weet wel dat onze kinderen, en vooral Charlotte, behoorlijk in de narigheid zitten. Wat moet er nu gebeuren?"

„Willem, pak alsjeblieft een stoel. Ik word nerveus van dat ijsberen."

Willem ging zitten. Hij strekte zijn lange benen, streek met een hand door zijn haren en praatte op een zachte toon verder: „De droom uit Charlots meisjesjaren. Zij wist met wie ze ging trouwen. Ze zag wel meisjes om hem heen, maar dacht: Je doet je best maar, Vincent is toch voor mij! Nu weet ze dat Vincent in die tijd meer heeft gedaan dan ernstig praten over de studie en feestjes organiseren. Eén keer is het fout gegaan, maar wie weet hoe dikwijls het zonder risico is gebeurd."

„Willem, stel je niet aan. Als je zo door leutert, zeg je dat Vincent wilde orgies op touw zette in de flat en dat is natuurlijk niet zo. Hij is met dit meisje te ver gegaan. Ik hoop dat

Charlotte hem niet, zoals jij, heftig afwijst. Ze was vanmorgen vreselijk overstuur, maar dat was na gisteravond en vannacht begrijpelijk. Het kind wist niet wat ze ervan moest denken. Ze is de hele middag alleen thuis geweest om één en ander op een rijtje te zetten. Dat wilde ze in elk geval proberen. Of het gelukt is, weet ik niet."

6

Donderdagmorgen zocht Charlotte in het telefoonboek onder Borgerkarspel de naam op. Vincent had gezegd: het kind heet Robbert Hofstra. Ze schreef het nummer op een kaartje en bewaarde het. Laat in de morgen toetste ze, gespannen en ook een beetje bang, het nummer in. Kwart over elf. Eline zou het huis aan kant hebben als ze een keurige huisvrouw was en er zou hier en daar iets rondslingeren als dat niet zo was. Ze was nog niet in de keuken bezig om voor de lunch te zorgen. Ze wilde misschien op dit moment de krant inkijken en zou zachtjes mopperen op de telefoon, opnemen en haar aan de lijn krijgen. Het zou geen goed begin zijn.

Ze hoorde in gedachte het rinkelen van de telefoon in het huis in Borgerkarspel, in dat huis woonde een zoon van Vincent; het was een vreemde gedachte.

„Eline Hofstra," zei een vriendelijke stem.

„Mevrouw Hofstra..." nu moest ze langzaam praten om Eline de gelegenheid te geven enigszins van de schrik te bekomen, want het zou schrikken voor haar zijn, „ik ben Charlotte Palensteyn. U kent mijn naam?"

Het bleef even stil aan de andere kant, toen kwam het antwoord en daarna de vraag: „Ja. Wat wilt u?"

„Ik wil graag, heel graag met u praten."

„Denkt u dat dat zinvol zal zijn?"

„Voor mij zeker. Ik weet pas sinds enkele dagen van het bestaan van uw zoontje. U begrijpt dat dat te horen een zware dreun voor me was. Vincent heeft het me verteld. Ik heb de voorbije dagen en nachten aan niets anders kunnen denken. Ik wil de waarheid, de volledige waarheid weten van wat er is gebeurd. Ik geloof wat Vincent me vertelde, maar ik wil graag uw zienswijze horen."

„Ik ken Vincent. Ik twijfel niet aan de waarheid van zijn woorden tegen u."

„Ik heb het gevoel dat het niet de volledige waarheid is."

Over Elines gezicht in Borgerkarspel trok een grimas; ze dacht: Ik ook niet. Ze zei in de hoorn: „Als hij de hele waarheid niet op tafel heeft gelegd, had hij waarschijnlijk goede redenen om iets te verzwijgen."

„Maar ik moet alles weten om een zuiver beeld te krijgen. Het gebeuren is toch belangrijk genoeg?"

„U wilt horen wat Vincent die vreselijke middag tegen me heeft gezegd. Ik vermoed welk facet hij verzwegen kan hebben."

Charlotte hield vol. „Ik wil dat graag weten."

„Misschien maakt die kennis u veel duidelijk over het gesprek tussen hem en mij, die zaterdagmiddag in Walkenaar. Dan weet u wat Vincent tegen mij heeft gezegd, maar niet tegen u in zijn verhalen over die zaterdagmiddag. Het klinkt ingewikkeld, maar we moeten elkaar goed begrijpen. Het is de vraag of u met die kennis veel opschiet. En of het u gelukkig maakt. Voor mij was het die middag vreselijk om te horen. Die woorden maakten alles kapot. Als u ze per se wilt horen, zal ik ze u vertellen."

Charlotte antwoordde: „Graag, heel graag."

Er volgde een stilte, daarna klonk een diepe zucht vanuit Borgerkarspel die Charlotte in Koperwille duidelijk hoorde.

„Goed. Ik kan er niets aan verliezen met u te praten. Maar het gesprek moet op een neutrale plek plaatsvinden. In een restaurant bijvoorbeeld."

Ze maakten een afspraak voor vrijdagmiddag in restaurant De Madelief aan de weg tussen Koperwille en Borgerkarspel. Snel afhandelen leek hun beiden het beste.

Charlotte vroeg haar moeder die middag een paar uurtjes op Loekie te passen. Ze hield de afspraak met Eline nog even voor zichzelf. Geen raadgevingen, geen inmenging. „Ik wil de stad in, slenteren door de straten, winkels kijken, misschien zie ik iets leuks voor mezelf of voor Loekie."

Louise knikte instemmend. „Ja, kind, ga er maar even uit. Een beetje ontspanning zal je goed doen."

Eline vroeg Werners moeder de kinderen na schooltijd op te vangen. Hermine Hofsta deed het met plezier. Eline gaf als reden op een paar boodschappen in Walkenaar te willen doen. Ook niet de waarheid. Maar dit was het beste.

Ze ontmoetten elkaar in het restaurant. Ze gaven elkaar een hand en Eline stelde voor elkaar te tutoyeren. „We zijn van ongeveer dezelfde leeftijd en het praat gemakkelijker."

Charlotte bestelde koffie en na een kort begin, met wat vragen en vertellen over de kinderen zei Eline: „Ik wil dit voor ons allebei wonderlijke gesprek beginnen en ik doe dat op een vreemde manier, maar mogelijk brengt het een beetje rust tussen ons. Want ik weet zeker dat we hier allebei met kloppend hart zitten. Ik vertel je heel kort over het gezin waarin ik opgroeide. Mijn vader is timmerman. Hij werkt bij Kees Dekker. Kees heeft een middelgroot aannemersbedrijf in Rodeveld. Thuis was het geen rijkdom, maar ook geen armoede. In ons gezin, ik heb twee zussen, was het altijd goed en gezellig. Onze ouders voedden ons op in geloof."

Charlotte keek haar met een nauwelijks ingehouden verbazing aan: wat was dit nou?

Maar Eline praatte verder: „Mijn moeder zei eens: 'De goede God heeft de mensen het vermogen gegeven te denken, te beslissen wat goed is om te doen of wat kwaad is om te doen. Wanneer steeds meer mensen hun verstand op de goede manier gebruiken en beseffen dat macht en geld niet de rijkdommen van het leven zijn, zal het beter worden op de aarde. Minder ruzies, minder oorlogen.'

Ik denk, Charlotte, dat het voor ons beiden belangrijk is in de nabije toekomst, en wellicht ook daarna, te denken aan de wijze woorden van mijn moeder. Wat is het beste voor jou, je man en je kind, en wat is het beste voor mij, mijn man en mijn kinderen: woede, verwijten, drift en boze woorden zijn dat beslist niet."

Ze keek in het bleke gezicht tegenover zich en glimlachte. „Je denkt nu misschien: Ze had dominee moeten worden, maar zo bedoel ik het niet. We zijn jonge vrouwen, allebei moeder, we moeten nadenken over wat we met deze crisis in ons leven doen. Misschien kunnen we het goed oplossen. Geen jaloezie, geen wedijver. Jij kunt je boos maken om hetgeen Vincent met mij had, maar dat was lang geleden. En ik kan zeggen dat het kind Robbert Hofstra heet en dat Vincent geen enkel recht op hem heeft. Werner en ik kunnen eisen dat hij op geen enkele manier met ons of met het kind contact zoekt. Maar waarschijnlijk ontstaat dan bij Vincent een groot verdriet waarover hij met niemand kan praten. Dat kan aan hem vreten, zoals men dat in Rodeveld noemt. Vincent is en blijft de biologische vader van Robbie. Hij weet van het kind. Hij wil hem in de toekomst volgen."

Charlotte knikte, dat was het enige wat ze kon doen. Ze vroeg: „Ik wil graag dat je me vertelt wat er tijdens jullie laatste middag samen is besproken. Alle woorden die je je herinnert."

Eline knikte. „Ik nam in het begin van die middag de trein naar Walkenaar. Er was afgesproken dat ik zou komen. Ik wist dat ik zwanger was en ik wilde het hem die middag vertellen. Ik geloofde niet dat hij er dolblij mee zou zijn, dat was ik ook niet. Het overviel ons en er zou veel geregeld moeten worden, maar ik was ervan overtuigd dat Vincent zou zeggen dat wij samen een oplossing zouden vinden. Een kindje van ons. We zouden er samen voor zorgen. Hij was afgestudeerd, hij was al begonnen met zijn werk in het bedrijf, we konden in de flat wonen tot we een ander huis hadden.

Toen ik de flat binnenstapte, kwam hij me in het halletje tegemoet en ik zag dat hij vreselijk overstuur was. Nog voor ik iets kon zeggen na onze begroeting, zei hij: 'Eline, ga zitten, ik moet je zoveel vertellen.' Ik kreeg heel uitgebreid het verhaal te horen, je kent het zo langzamerhand wel uit je hoofd. De narigheid en de ellende in de zaak en zijn zorg om zijn vader, die het geestelijk niet kon verwerken. Ik luisterde. In mijn gedachten speelde op de achtergrond wat ik hem moest vertellen en ik vroeg me stilletjes af: Hoe moet het nu verder, met deze ontwikkeling erbij? Maar we vonden samen beslist een oplossing.

Toen zei hij," Eline keek Charlotte recht aan, ze zag spanning in het gezicht tegenover haar, „toen zei hij dat er een oplossing was! En hij vertelde over jouw ouders die geld in het bedrijf zouden pompen en dat jouw vader het roer van de zaak in handen ging nemen om te proberen alles weer op poten te zetten. Hij vertelde direct daar achteraan dat jij, zijn vriendinnetje van vroeger, de dochter van de geweldige vrienden van zijn ouders, van hem hield en dat hij met jou ging trouwen. Het was de enige uitweg. Het was goed de families Palensteyn en Zandbergen zakelijk en privé met elkaar te verbinden. Hij kon niet anders dan met alle genomen besluiten instemmen om de zaak van zijn vader te redden.

Ik was geschokt en verbaasd. Ik kon niet meer denken, ik wist niet wat ik moest doen. Ik kon ook niets doen, Vincent had duidelijk gezegd dat de besluiten al genomen waren. Ik wist alleen dat ik weg wilde uit de flat, weg, bij hem vandaan. Ik heb een ruzie uitgelokt en heb gezwegen over wat ik hem moest vertellen. Het had geen nut het te zeggen. Hij had zijn toezegging aan zijn en jouw ouders al gedaan. Mogelijk had hij geen toezegging hoeven te geven, want de ouders hadden alles al beslist. Ik heb wel begrepen dat jij ervan wist dat hij snel met jou wilde trouwen.

Ik heb de flat verlaten. Vincent huilde toen ik de deur uitging, hij snikte dat hij geen andere beslissing had kunnen nemen. Er stond, wat het bedrijf en zijn vader betrof, te veel op het spel.

Ik had je dit detail van die vreselijke middag willen besparen, maar je vroeg me duidelijk naar de waarheid. Die ken je nu."

Charlotte hakkelde: „Dit... dit is verschrikkelijk. Het moet voor jou een heel zwarte, donkere dag in je leven zijn geweest."

„Ik kan niet anders antwoorden dan: ja. Ik hield van Vincent, maar hij liet me gewoon vallen. Er is geen ander woord voor. 'Dag Eline, het ga je goed', op die manier. Ik kan er nu om glimlachen, maar het zal nooit een lach worden. Mijn ouders, zussen en hun mannen hebben me geweldig opgevangen. Ze waren, en dat zijn ze nog, dol op Robbie.

Al snel verklaarde Werner me zijn liefde en, hoe zeg ik het," ze keek met een lachje naar Charlotte, „ik koesterde en koester me nog in die liefde. We zijn gelukkig."

Charlotte legde haar handen op de tafel. „Ik wil nog koffie en jij, denk ik, ook. En ik wil er iets bij eten. Er is een gevoel van leegte vanbinnen dat me misselijk maakt."

„Ik wil ook wel een broodje."

Charlotte knikte instemmend, maar in gedachten ging ze op de komende momenten vooruit. Ze moest over dit alles direct na het verlaten van het restaurant nadenken. Niet doorrijden naar huis, daar was mama, nog niets aan mama vertellen. De auto op een stil plekje neerzetten. Vincent. De Vincent van deze middag kende ze niet. Wat had hij die middag in wanhoop gedaan? Hij had alles wat door hem gezegd werd, beslist in wanhoop gezegd, maar was het ondanks die wanhoop te verdedigen? Een meisje dat hem liefhad en vooral, waarvan hij hield en dat hij zwanger had gemaakt, maar hij had haar compleet van zich afgeschoven.

Ze voelde in de eerste plaats woede om wat Vincent had gedaan en om wat hij voor haar had verzwegen. Maar ze had er begrip voor dat hij het verzweeg. Hij wist hoe zij hierop zou reageren. Zoveel jaren na de fatale dag het belangrijkste detail overslaan, was de veiligste weg. Hij trouwde met haar omdat haar vader zich voor de zaak wilde inzetten. Hun ouders hadden het geregeld. Ze waren kinderen die uitgehuwelijkt werden, niet meer en niet minder. Zo voelde ze het nu op dit korte, heftige moment. Gedachten stormden in haar hoofd. Eline zat tegenover haar. Zij had een zoon van Vincent. De manier waarop Vincent Eline had losgelaten... Het wel of niet weten van de komende baby stond daar los van. Hij had maar aan één ding gedacht: wie was het beste voor hem in de moeilijke omstandigheden van toen?

Ze voelde zich steeds bozer worden. Hij had over zijn liefde gepraat, de ene week tegen Eline, de week daarna tegen haar. Hij had lieve woordjes gefluisterd tegen Eline, maar toen hij een oplossing zag voor de grote problemen, zette hij een streep onder de relatie met haar. Een huwelijk met Charlotte kwam hem beter uit. En zij, als een dolverliefde tiener, was er zo blij mee.

De stem van Eline drong langzaam weer tot haar door. „Toen je me vroeg de waarheid te vertellen, heb ik geaarzeld dat te doen. Ik begrijp je teleurstelling in Vincent om wat hij heeft gedaan. Maar je wilde per se alles over de laatste dag van hem en mij in de flat te horen. Maar nu, vandaag, Charlotte, ligt die dag bijna tien jaren achter ons. Ook voor Vincent. Hij hield van je en hij houdt nog van je. Je wilde alles weten. Je weet nu alles en je moet voor jezelf uitmaken wat nu belangrijk voor je is in je leven. Jullie zijn getrouwd en ondanks deze gemene streek van Vincent hou je van hem. Misschien op dit moment even niet, ik zie het aan je gezicht, maar hij heeft niet gelogen. Hij heeft slechts," ze hoorde toch een cynische klank in haar stem, „een paar zinnen niet gezegd dus. Woorden verzwegen. Ik kan er vrede mee hebben omdat ik achteraf begreep hoe moeilijk het leven in die periode voor Vincent is geweest. Hij greep met beide handen de kans aan die uitkomst bood. Je moet na tien jaar niet kapotmaken wat niet kapotgemaakt hoeft te worden. Je kunt er niets mee winnen. Wel er veel door verliezen. Je huwelijk, en, in je boosheid als je hem het huis uitstuurt, de vader van je kind."

Charlotte tilde haar hoofd op en keek Eline recht aan. Er gleed een wrang lachje over haar gezicht toen ze zei: „Maar ik zal hem de ontbrekende zinnen, de verzwegen woorden, zoals jij ze noemt, duidelijk maken."

Ze namen met een handdruk afscheid op de parkeerplaats. Charlotte zei: „Ik dank je voor dit openhartige gesprek. Ik wilde de waarheid weten en je hebt me die verteld, ook al ben ik er niet gelukkig mee."

„Ik zeg je nogmaals, Charlotte, wees voorzichtig met wat je hiermee doet. Je kunt veel kapotmaken. Maar het speelde allemaal jaren geleden. Het is nu zo anders."

Charlotte knikte alleen en Eline voegde aan haar woorden toe: „Ik voel wat voor jou de achterliggende gedachte is: Vincent vroeg je niet uit liefde met hem te trouwen, maar als middel om alle narigheid af te wenden. Zo voel je het. Dat doet, nu je het weet, pijn. Maar ik ben ervan overtuigd dat Vincent van je houdt. Ik weet zeker dat het zo is."

„Vanavond vertel ik hem over deze ontmoeting en ik gooi hem zijn gedrag van toen voor de voeten."

„Er komt iets strijdlustigs in je ogen. Je hebt de troeven in handen. Je weet dat je zult winnen."

„Je begrijpt me. Ik zal tussen alle schermutselingen door aan je denken."

Eline reed in een kalm tempo terug naar Borgerkarspel. Had ze er goed aan gedaan moeders woorden aan te halen? Kwam het niet te betweterig over? Eigenwijs, alsof zij alles zo goed wist, zij de wijsheid in pacht had? Maar, daarvan was ze overtuigd, de woorden hadden een goede sfeer tussen hen gebracht, iets van rust, voorzover dat in deze omstandigheden mogelijk was.

Het was beter er niet meer over na te denken. De middag was voorbij en het was gegaan zoals het gegaan was. Werner had gezegd: „Pak het op jouw manier aan. Daar voel je je het beste bij. Het wordt een vreemde ontmoeting voor jullie. De één was de eerste liefde van de man, de ander de vrouw waarmee hij destijds trouwde omdat het mogelijkheden op zijn pad bracht een financieel debacle in zijn familie af te wenden. Vanmiddag zitten jullie tegenover elkaar aan tafel om te praten over toen. Maar, Elientje, er is intussen al veel beslist en afgehandeld. Het draait nog om één vraag en het antwoord is belangrijk. Voor Charlotte, maar," hij had haar recht aangekeken, „ook voor jou. Als je het antwoord weet, ken je Vincent Palensteyn iets beter."

Wat bedoelde Werner met deze opmerking? Ze wist het nu. Ze kende Vincent nu beter dan voor die nare middag tien jaar geleden. Hij was niet zoals ze verwachtte dat hij was. Hij had iets sluws in zich. Ze mocht het ook iets gemeens noemen. Dat bedoelde Werner.

Ze had geen zin er dieper op in te gaan. Maar ze had begrip voor de moeilijke omstandigheden waarin Vincent destijds verkeerde en zijn besluit was voor haar, zo zag ze het nu, een begrijpelijke oplossing.

Aan het einde van diezelfde vrijdagmiddag was Charlotte

vanaf het parkeerterrein van De Madelief rechtsaf gereden, waar Eline even daarvoor linksom was gedraaid. Charlotte reed eveneens in een rustig gangetje. Ze voelde spanning om zich heen en spanning in haar hele lichaam. Haar handen die het stuur vasthielden, trilden zachtjes. Ze was woedend op Vincent omdat hij haar had voorgelogen. Hij had niet gelogen, volgens Eline, alleen iets weggelaten, maar dat was natuurlijk onzin. Hij had belangrijke woorden voor haar verzwegen. Dat was een onuitgesproken leugen, maar wel een leugen. Ze zou hem er vanavond mee confronteren. Hij zou waarschijnlijk komen met de uitvlucht dat het hectische uren waren geweest, die zaterdagmiddag met Eline, en toen hij er jaren later weer aan dacht en erover vertelde, was hij dit vergeten. Maar nee, Vincent Palensteyn, jij wist drommels goed wat je voor mij verzweeg! Ze zou hem hard aanvallen. Het was een gemene streek geweest.

Op de achtergrond klonken de fluisterende woorden van René, hij hield het kort deze keer: „Beheers je, Charlotte." Uitgebreider herhaalden zich de woorden van Eline: „Het is lang geleden gebeurd, er is nu veel goeds, je kunt zoveel kapotmaken. " Dat was ook zo, maar ze wilde de waarheid van hem horen.

Ze naderde Koperwille, het laatste stukje door het centrum van de stad, de buitenwijk in en daar was hun huis. Ze draaide het pad naast de villa op.

Vincent was gespannen. Hij had een gevoel van dreigend onheil maar uit welke hoek het zou komen, wist hij niet.

„Zal ik raden met wie je vanmiddag een afspraak had?" Hij noemde de naam van een van haar vriendinnen. Charlotte schudde haar hoofd. Hij noemde nog een naam, weer niet goed. Toen riep hij: „Ik weet het! René! Je bent met René naar het rozerode servies voor het museum gaan kijken! In het huis van de deftige dame Van Waardenburg aan de Rechterkade!"

„Nee. En noem geen namen meer; ik praat er vanavond met je over."

Charlotte liep naar de wieg. Loekie was wakker en lachte naar mama. Ze nam de baby in haar armen, zei zotte woordjes tegen haar, maar dat maakte niet uit, Loekie begreep er toch niets van. Ze hoorde alleen mama's stem. Ze gaf met kleine geluidjes aan dat ze het prettig vond met mama door de kamer te lopen.

Na de wandeling legde Charlotte de baby weer in de wieg en begon in de keuken aan de maaltijd. Vincent dekte de tafel. Er werd niets gezegd. Vincent voelde dat ze niet in de stemming was naar zijn verhalen over de voorbije werkdag te luisteren en Charlotte vroeg zich af hoe hij zou reageren op haar komende verhaal. Het zwijgen voerde de spanning tussen hen op.

In de avond zette ze volle koffiekopjes op de lage, vierkante tafel.

„De laatste dagen is de geschiedenis over jou, Eline en het kind niet uit mijn gedachten geweest, dat begrijp je wel," opende ze het gesprek.

„Ik denk er ook voortdurend aan. Maar het is gebeurd, het kan niet teruggedraaid worden."

„Ik heb alles wat je erover vertelde, op een rij gezet en ik kwam tot de slotsom dat er een belangrijk deel ontbreekt."

Hij keek verbaasd.

„Het deel wat ik miste, was: waarom heeft Eline je niet gezegd dat ze zwanger was?"

„Dat heeft ze gewoon niet gezegd."

„Doe niet zo dom!" riep ze luid, „jij weet drommels goed waarom ze dat niet heeft gezegd! Maar omdat jij dat belangrijke detail in je verslag aan mij hebt overgeslagen, wist ik niet wat het was! En omdat ik het wilde weten, heb ik Eline gebeld en haar gevraagd het mij te vertellen. We hebben elkaar vanmiddag ontmoet."

Hij was onthutst. „Jij hebt Eline... en zij heeft..."

„Ja. Ik heb met Eline gepraat. Ik legde haar mijn vraag voor. Aanvankelijk wilde ze je sparen; waarom is mij volkomen onduidelijk. Een kerel die je zwanger maakt en je daarna volkomen uit zijn leven bant, die gewoon denkt: Ze komt me niet meer van pas, er is een betere optie, weg met haar. Ik kon haar ervan overtuigen dat ik de waarheid wilde weten. En ze heeft me die waarheid verteld. Eline noemde het ontbrekende stukje de verzwegen woorden, de door jou verzwegen woorden in je verhaal aan mij."

„Mooi gezegd," stamelde Vincent.

Charlotte ging verder: „Jij hebt tijdens jullie laatste middag samen alle zorgen en narigheid over de zaak en over jouw vader voor haar uit de doeken gedaan en je hebt haar tegen het einde van je verhaal meegedeeld dat er een oplossing was voor alle misère! Hoera, een oplossing! En je pakte die kans natuurlijk met beide handen aan! Mijn ouders beloofden geld in het bedrijf te investeren op basis van belangenverstrengelingen van de families Palensteyn en Zandbergen.

Ik zeg er wel bij dat mijn ouders wisten dat ik van jou hield en mijn vader nam zonder nadenken aan, als trotste vader, dat elke jongeman verliefd werd op zijn dochter. Jij dus ook."

Ze laste een korte adempauze in, maar nam op boze toon de draad weer op. „Eline hoorde al je woorden aan, ze besefte dat je definitief voor een toekomst met mij had gekozen. Je trouwde met mij. Het loste veel nare problemen op en daarnaast," – waar haalde ze het gemene lachje vandaan – „mocht je me wel. Zandkastelen bouwen met Charlotte was leuk geweest, fietstochtjes maken ook, praten over het leven in Walkenaar en over de studie.

Eline wist genoeg. Eline zweeg. Het was het beste dat jij niets van het komende kind wist. Ze verliet de flat. Jij wist niet van de zwangerschap, maar ik vraag me af of jij later, toen je het wel wist, hebt beseft hoe moeilijk zij het gehad heeft met zo door jou als onbruikbaar materiaal aan de kant te worden geschoven! Maar, dat heb ik uit haar woorden begrepen uit de wijze waarop ze over de jongen praatte, ze heeft vanaf het moment waarop ze wist van zijn komst, van hem gehouden. Hij was ondanks alle moeilijkheden welkom. En het gezin Sanders heeft haar goed geholpen."

Vincent zat voorover gebogen in de stoel.

„Waarom heb je mij dit niet verteld?" vroeg ze.

„Ik wist dat jij het fel zou veroordelen. Dat was niet moeilijk te raden. Je zou het noemen een lage, gemene streek en dat was het ook. Maar alles was toen zo moeilijk. Mijn moeder huilde om mijn vader, mijn vader riep dat hij uit het leven wilde stappen, hij kon de ondergang van het bedrijf niet verdragen. Willem begon direct na de eerste mondelinge afspraak te handelen, er mocht geen tijd verloren gaan, de instorting dreigde. Je vader wilde zoveel weten, hij bleef maar vragen, ik werd er gek van! En je moeder tetterde over een bruidsjurk en over een woning, er moest een villa voor ons gekocht worden; ik draaide volkomen dol.

De laatste middag met Eline verliep in die sfeer. Ik wist later niet meer wat ik er wel of niet tegen jou over had gezegd."

„Als ze niet zwanger was geweest, was het ook als een dolksteek in haar hart aangekomen. Je verhaal over je liefde was gewoon een vertoning om met haar naar bed te kunnen."

„Nee, nee," viel Vincent haar schreeuwend in de reden, „dat is beslist niet waar! Ik had die opzet niet, want ik hield van Eline. Ik hield ook van jou, maar op een andere, rustige manier. Met Eline was het nieuw en heftig, wat ik voor jou voelde was vertrouwd, eigen. Eline hield van mij. We hielden elkaar vast, we kusten elkaar en we gingen te ver, dat had niet mogen gebeuren. Maar geloof me, Charly, het was tot op dat moment echte liefde. Misschien was het hartstocht."

Na heel veel woorden werd het rustiger in de huiskamer aan de Rozenlaan.

Charlotte merkte op: „Toch is alles echt gebeurd. Ik heb Eline in die tijd, zo'n tien jaar geleden, een paar maal gezien. Ze was achteraf een stille, bijna onzichtbare concurrente van me. Ik zag haar slechts als één van jouw kennisjes, en nu heb ik haar vanmiddag ontmoet."

„Ik kan nog niet geloven dat jij met Eline hebt gepraat."

„Ze is een aardige, verstandige vrouw. Ze heeft veel verdriet gehad door alles wat door jouw schuld gebeurde, maar ze vindt zelf niet dat ze er als verliezer uit is gekomen. Ze was jouw grote liefde, maar je schoof haar de afgrond in omdat jou dat goed uitkwam. Zo was het gewoon. Eline is uit die afgrond geklommen door haar liefde voor Robbie. Ze maakte een stille afspraak met het kind: Wij redden het samen wel! En de grote liefde van Werner voor die twee maakte alles goed. Ze had er een mooie uitspraak voor: Rob en ik koesteren ons in zijn liefde."

Op geheel andere toon voegde ze eraan toe: „Nu ik alles weet, besef ik dat je met mij bent getrouwd omdat ik een bron van geld en zakelijke hulp opende."

„Charlotte, ik hou van je."

Hij zweeg na die woorden en ook Charlotte zei niets. Ze wachtte af. Na een ogenblik ging hij verder: „Ik weet niet goed wat ik na alles wat gezegd is, moet denken. Onze toekomst ligt in jouw handen. Hoe wil je verder. Hoe gaat het, na alles wat je nu weet, tussen ons?"

„Ik ben vreselijke boos geweest, zeg maar gerust woedend! Vijf jaar al weet je van Robbie, maar je zweeg over hem tegen mij. En nu weet ik ook dat je het belangrijkste uit je verhaal aan mij over Eline en jou hebt verzwegen. Het maakte me verdrietig en boos. Maar we leven nu. Het ligt niet in mijn aard dit te doen," ze glimlachte even, „dat weet je, ik ben niet zo vergevensgezind, het komt dan ook door Eline dat ik op deze manier tegen je praat. Want juist zij heeft me dringend aangeraden mijn verstand erbij te houden. Ze raadde me aan te kijken naar alles wat er nu tussen jou en mij is.

Zij heeft geen wraakgevoelens naar jou toe. Ook niet naar mij toe omdat je mij verkoos boven haar. Maar daaraan had ik ook geen schuld. Ik heb jou niet veroverd, ik was altijd om je heen. Dat weet ze. Alles is gebeurd zoals het is gebeurd. Werner en zij zijn gelukkig. Hun kinderen zijn gezond en lief. Wij waren, voor dit gebeurde, ook gelukkig. Ja toch? Maar het weten van het bestaan van je zoon moet op de achtergrond voor jou een zware druk zijn geweest."

„Ik kan zeggen dat ik blij ben dat het nu bekend is, want ik draag niet langer alleen die zware druk. Het is goed dat jij het nu ook weet. Nuchter gedacht en gezegd zou het de beste oplossing zijn hem volkomen los te laten. Hij heet Hofstra. Hij heeft prima ouders, het gaat goed met hem in dat gezin. Wij hebben ons gezin, jij, ik en onze dochter. Maar, Charlotte, ik kan hem niet loslaten. Niet omdat ik van hem hou, ik ken het kind niet, maar omdat hij mijn zoon is." Hij keek haar recht aan. „Ik hou van je. Je was lange tijd mijn liefste vriendin, nu ben je mijn lieve vrouw, de mama van ons kleine meisje. Charlotte, geloof me, ik hou van je zoals een man van zijn eigen vrouw moet houden. Ik heb fouten gemaakt en ik heb er veel spijt van."

„Wat achter ons ligt moeten we proberen los te laten. Totaal loslaten is onmogelijk, dat beseffen we allebei! Maar we kunnen wel proberen het in onze gedachten zo veel mogelijk naar de achtergrond te dringen. We hoeven er niet dagelijks aan te denken. Met de jongen gaat het goed, wij moeten gewoon doorgaan met ons leven, ons huwelijk, Loekie, ons werk."

Hij stond op, liep naar haar toe, ging dicht naast haar zitten en sloot haar in zijn armen. „Ik ben zo bang geweest je te verliezen."

Er was nog heel veel om over te praten.

„We wachten de reacties van onze ouders af. Maar wij zijn volwassen, we hoeven onze vaders en moeders niet te vertellen waarom het fout is gegaan. We spreken af al onze antwoorden te gieten in de vorm van: het is verleden tijd, we laten het los. We gaan met elkaar verder. En," ze lachte opeens, „dat is toch ook voor onze ouders belangrijk? Wat zou een echtscheiding brengen? Nu blijven de aandelen waar ze zijn en mijn vader, jouw vader en jij blijven in het bedrijf werken."

7

Op de tweede zaterdag na de ontmoeting tussen Charlotte en Eline heerste in de woning aan de Vondellaan in Borgerkarspel rust en stilte toen Werner zei: „Er is meer dan een week voorbij gegaan na het gesprek tussen Charlotte en jou. Ik wil over het hele gebeuren met je praten, Eline." Hij keek met een glimlach naar haar.

Eline sloeg het boek dat ze in haar handen hield dicht en legde het op het tafeltje naast de bank. Het was een prachtig verhaal, ze had gedacht: Zaterdagavond, lekker een avondje lezen in m'n nieuwe boek, maar ze kende deze klank in Werners stem en ze wist: vanavond komt er van lezen niet veel meer.

„Ik begin met vast te stellen dat ik een zachtaardig man ben. Jij knikt; je bent het met me eens."

Hij lachte en Eline wist dat het goed was niets te zeggen. Er was iets wat hem bezighield, hij wilde het uitgesproken hebben en zij wilde het horen. Hij maakte zijn inleiding af. „Ik word niet gauw kwaad, ik streef in grote en kleine conflicten in de allereerste plaats naar een vreedzame oplossing." Even stilte. „Er is door alles wat er de laatste tijd gebeurt onrust in me. Ik draag zoiets met me mee, denk erover na, in de hoop andere invalshoeken te vinden waarmee ik iets kan, maar ik heb ze in dit geval niet gevonden. Er sluipt onheil naderbij waarvoor we moeten oppassen. Ik hoop dat ik je kan uitleggen wat ik bedoel."

Eline keek hem verbaasd aan. Wat was dit? Wat speelde er in zijn hoofd? Maar Werner had veel gedachten, veel gevoelens en hij voelde situaties vaak haarscherp aan.

„Je zegt het mooi, maar je woorden zijn voor mij raadselachtig. Zeg precies wat je bedoelt."

„Er groeit iets om ons heen wat ons gaat beknellen als we

niets doen om het af te wenden. Ik voel het als een bedreiging voor ons huwelijk, maar meer nog voor onze liefde. Ik hou van je, jij bent heel belangrijk in mijn leven, maar Vincent strekt zijn handen naar je uit. Want via jou bereikt hij, later, Robbie."

Werner haalde diep adem en praatte verder. „Laten we even teruggaan naar de periode die begon op de dag waarop jij de flat verliet en eindigde op de middag in Walkenaar waarop Vincent zijn zoon zag. Een periode van bijna vijf jaar. In die vijf jaren hoorde je helemaal niets van hem. Hij had totaal geen belangstelling voor je. Hij was met Charlotte getrouwd, hij moest zijn plaats in het bedrijf veiligstellen en naar wat we later hoorden, had het jonge echtpaar Palensteyn een druk sociaal leven.

De verandering kwam toen hij Robbie ontdekte. We begrijpen allebei dat dat een geweldige schok voor hem geweest moet zijn. Het was ook te begrijpen dat hij het hoe en waarom wilde weten. Jij hebt hem daarover verteld.

In die tijd werd duidelijk dat Vincent begreep dat Robbie een wettig kind van ons is. Maar hij stelde vast dat de jongen bij ons in goede handen was en Vincent beloofde dat hij zich tijdens de kinderjaren van de jongen niet met hem zou bemoeien. Contact met het jochie zoeken zou voor de laatste grote spanningen meebrengen. Twee vaders, twee moeders – want Charlotte hoorde bij Vincent – het kon niet op! En, dat speelde voor Vincent zeker mee, als hij de jongen wel wilde benaderen, hoe moest hij het vertellen aan Charlotte, zijn ouders en haar ouders? Niets vertellen was de enige mogelijkheid een hoop narigheid te voorkomen. Hij zei ons dat hij het kind van een afstand wilde volgen. En dat hij later contact met Rob wilde zoeken. Wij hadden daar begrip voor, tenslotte is Vincent de biologische vader."

Werner zweeg even en Eline vroeg zich af waar dit gesprek

uiteindelijk naartoe ging. Hij vervolgde: „Ik weet vrijwel zeker dat Vincent stilletjes-aan een verbinding naar jou en Robbie in werking heeft gezet. Langzaamaan contact opbouwen, contact houden, hij heeft geen haast, er is nog tijd genoeg. Het is zelfs mogelijk dat hij dit niet met voorbedachten rade doet, maar gewoon omdat het zo loopt. Maar hij bouwt aan een loopplank naar jullie toe."

Eline keek hem verbaasd aan. Wat was dit nou? Wat haalde Werner in zijn hoofd? Maar ze wist dat hij hierover had nagedacht voor hij er met haar over praatte.

„Jij hebt met Charlotte gepraat en ze heeft Vincent erover verteld. Ze heeft hem waarschijnlijk verweten dat hij destijds het belangrijkste voor haar heeft verzwegen, maar wat voor mij in dit belangrijk is, is dat er, denk ik, tussen jullie iets van elkaar wel mogen is ontstaan. Dat heeft Vincent ook gevoeld. En hij dacht: Als mijn Charlotte Eline aardig vindt, kan ze, zonder dat ze het zelf in de gaten heeft, meehelpen bij het langzaam opbouwen van het contact met Eline en Robbert. En ook speelt mee," hij keek haar toch met een lachje aan, „dat Charlotte, na alles wat er gebeurd is, voelt dat er iets van begrip bij jou bestaat voor het besluit dat Vincent toen heeft genomen. Het zal voor veel mensen die jouw verhaal horen, onbegrijpelijk zijn, maar jij voelt het zo. En je voelt lichte sympathie voor Charlotte, waarom ook niet, zij staat buiten het hele gebeuren van toen. Je mag haar wel.

Hoe dikwijls heeft Vincent contact met je gezocht? Meerdere keren belde hij, waarover je me niet vertelde omdat je het onbelangrijk vond, maar je hoorde wel zijn stem en zijn woorden, je hebt met hem gepraat. Er was, hoe dan ook, contact tussen jullie. Later belde hij nota bene om te vertellen dat het beter ging tussen Charlotte en hem! Dat is toch niet te geloven na alles wat hij je had aangedaan?! Hij vroeg in die gesprekken natuurlijk naar Robbie, speelde de geïnteresseerde vader en jij vertelde over het doen en laten van ons kind. Daarnaast hebben jullie elkaar enkele malen ontmoet."

Werner boog zich naar haar toe en keek haar recht aan. „Ik noem de feiten nog maar eens, om goed tot je te laten doordringen wat er gebeurde. Er is geen jaloezie in mij, lieveling, maar ik weet dat er een periode in jouw leven is geweest waarin Vincent een grote rol speelde. Daarnaast is hij de biologische vader van Robbie. Ik kan ermee leven, maar ik zie gevaar in het steeds weer contact zoeken van Vincent. Hij oefent invloed uit op ons huwelijk. Hij weet dat hij een plaats in je hart heeft gehad, hij weet dat hij contact met je kan houden en is ervan overtuigd dat hij daar in de toekomst voordeel van kan hebben.

Het is niet om een relatie met jou op te bouwen. Hij heeft Charlotte en achter haar staan vier lijfwachten: haar ouders en zijn ouders. Zij kijken toe op wat gebeurt en ze weten niet van zijn telefoongesprekken. Maar Vincent weet dat de weg naar Robbert Hofstra via jou leidt, het jongetje dat Frederik Vincent Palensteyn had moeten heten. En jij weet hoe belangrijk een zoon, een opvolger, is voor een Palensteyn. Dat was het voor zijn grootvader, voor zijn vader Frederik en zo is het nu voor Vincent."

Eline knikte. Ze zei niets want ze wist dat Werner gelijk had. Vincent wilde haar niet loslaten, maar zij vroeg zich af of het, zoals Werner veronderstelde, alleen om Robbie ging. De situatie was gevaarlijk. Vincent Palensteyn kon drammen, volhouden; daarin was hij sterker dan Werner. Hij had ook grond onder de voeten: hun voorbije liefde en de zoon van hem en haar. Vincent vroeg zich vast af of haar liefde voor hem echt voorbij was. Haar verstand zei dat hij haar schandalig had behandeld, maar haar hart kon stilletjes een andere taal spreken. Maar, wist ze zeker, dit wilde ze niet! Dit was niet goed! Ze hield van Werner en Werner verdiende dit niet.

Zijn stem drong weer tot haar door: „Als je alle gebeurtenissen in Vincents leven naast elkaar legt en je hebt een groot hart en veel begrip, zoals jij, weet je dat hij moeilijke tijden heeft doorgemaakt. Maar het feit blijft..." zijn stem schoot opeens fel uit, „dat hij jou verschrikkelijk heeft behandeld en vernederd!" Ze had die woorden zo-even gedacht, nu sprak Werner ze uit. „Ik ben bang dat dat niet ten volle tot je is doorgedrongen. Hij zei dat hij veel van je hield, maar liet je als totaal onbelangrijk vallen toen het voor hem beter uitkwam. Als je de waarheid wilt zien, is het niet meer of minder dan dat. Ook al haal je erbij dat je begrip had voor zijn zorgen over het bedrijf en je zijn angst begreep voor zijn vader; wat hij jou heeft aangedaan, was in één woord onbeschoft. Het getuigt van heel weinig gevoel. Pak die meid, neem die meid, werp weg die meid!"

„Werner, alsjeblieft, wind je niet zo op."

„Ik wind me erover op omdat ik wil dat je alles wat is gebeurd in het juiste licht ziet." Hij lachte wrang. „Mijn moeder noemt zoiets oud zeer. Dat is zeer wat niet echt pijn meer hoeft te doen. Ik wil je duidelijk maken waarvoor ik angst heb. Je laten zien dat oud zeer tot nieuw zeer kan komen. Ik wil dat je het ziet zoals ik het zie."

Hij stond op. Ik schenk wijn voor ons in. Niet dat we op iets feestelijks kunnen klinken, dat zeker niet, maar om de wens uit te spreken dat tot je is doorgedrongen wat er aan de hand is. Ons geluk wordt bedreigd. We moeten het beschermen, er onze handen omheen leggen."

Hij liep naar de kast, nam er twee glazen uit, schonk er in de keuken wijn in en zette ze op de lage tafel. „Ik heb gezegd dat ik bang ben dat Vincent langzaamaan, maar doelbewust, stap voor stap dichter naar je toe wil komen. Als je belooft mij te vertellen over welk kort gesprek dan ook tussen jou en hem, volgen we samen zijn pogingen."

Eline keek hem aan. „Het lijkt me beter Vincent duidelijk te maken dat hij niet meer hoeft te bellen omdat ik hem de komende jaren, zolang Robbie nog een kleine jongen is, niet te woord zal staan. Wat later gebeurt, lossen we later op."

„Je hebt me goed begrepen, lieverd."

Werner dronk van de wijn. Drie, vier slokjes. Hij zette het glas terug op de tafel.

„Nog even dit. Kortgeleden belde Charlotte jou. Haar telefoontje staat totaal los van het stille werk waarmee Vincent bezig is. Maar hij kan het contact tussen zijn vrouw en jou goed gebruiken. De ware reden van haar telefoontje is niet belangrijk meer, maar er is weer een lijntje gespannen tussen hem en jou, onbewust, door zijn vrouw."

„Werner, lieverd, je zoekt overal iets achter! Het was toch simpel? Charlotte wilde weten wat Vincent in zijn uitleg had overgeslagen. Ik heb het haar verteld. Het hele verhaal is haar nu duidelijk. Die kennis was voor Charlotte belangrijk, maar ze kan er niets meer mee doen. Ze zal Vincent flink hebben aangepakt, maar ook dat is nu toch niet belangrijk meer? Wat wel belangrijk is, is dat hun huwelijk in stand blijft. Ze houden van elkaar en ze hebben een kind. Maar, Werner," de lichtgrijze ogen keken hem ernstig aan, „door alles wat je vanavond naar voren bracht, is me duidelijk geworden wat je wilt zeggen. Je vindt dat Vincent geen plaats in ons leven mag hebben nu Robbie nog te jong is om er iets van te moeten weten. Het is inderdaad zo dat ik bij elk contact aan hem dacht. Het hield me even bezig, maar beslist niet meer dan dat.

Ik begrijp waarvoor je bang bent. Ik weet niet of jouw gedachten waarheid worden wanneer je zegt dat hij één en ander met opzet doet. Maar Vincent is geen domme jongen, en hij wil in de toekomst contact met Rob. Alle kleine contacten kunnen daartoe leiden. Wat Charlotte heeft gedaan, ging buiten hem om. Maar nu kan hij denken: Als ik iets over Eline zeg weet Charlotte over wie ik praat. Zij en ik mogen elkaar wel een beetje. Dat is misschien te sterk uitgedrukt, maar iets van dat gevoel was er wel. En wie weet hoe belangrijk het in de toekomst voor Vincent kan zijn.

Rob is nu negen. Een blije, speelse jongen die van wat er gebeurd is nog niets kan begrijpen.

Ik begrijp wat je me vanavond duidelijk wilde maken. Als Vincent belt, zeg ik hem dat ik niet met hem wil praten. Rob is mijn zoon en jouw zoon. Vincent is getrouwd met Charlotte en ze hebben samen een dochter. Ik hoop voor ze dat ze nog drie kleine jongetjes krijgen."

's Avonds, dicht tegen hem aan in het warme bed, zei ze: „Het is goed geweest hierover te praten. We weten niet of Vincent werkelijk plannen in deze richting heeft, maar het is het beste hem niet de kans te geven ons leven binnen te dringen."

„Eline, ik hou zoveel van je. Ik heb het je dikwijls gezegd: jij bent de vrouw die bij me hoort. Ik fantaseerde vroeger over een leven met jou, de werkelijkheid is mooier dan mijn dromen."

Twee weken later belde Vincent.

„Eline, met Vincent." Ze zuchtte; toch weer Vincent aan de lijn. Voor ze iets kon zeggen vroeg hij: „Hoe is het in Borgerkarspel?"

„Met alle vier uitstekend." Ze veranderde van toon, haar woorden klonken kil. „Luister naar me. Je moet me niet meer bellen, want ik zal niet naar je luisteren. Ik antwoord niet meer. Jij hebt jouw gezin, ik heb mijn gezin. Jij hebt," ze legde de nadruk op het woordje jij, „mij afgewezen en jij hebt voor Charlotte gekozen. Jouw leven is met haar samen. Ik ben gelukkig met Werner. Charlotte kent nu de hele geschiedenis, en ik sluit het boek."

„Maar luister toch even." Zijn stem klonk gejaagd in haar oor, „er is iets vreemds aan de hand en mogelijk weet jij uit welke hoek het komt." En zonder af te wachten, vervolgde hij: „In de voorbije weken werd ik driemaal gebeld. Tweemaal was het beslist een man aan de lijn. Hij probeerde zijn stem onherkenbaar te laten klinken. Een doekje over de telefoon of iets dergelijks. En eenmaal was het, vermoed ik, een vrouw. Alle drie de keren werd gezegd: 'Reserveer geld voor de studiekosten van je zoon.'"

Eline reageerde snel: „Dat is zeker vreemd, maar ik kan je niet zeggen wie achter de stem zit. In elk geval niemand van mijn familie. Niemand in onze kring doet zoiets! Geef er geen aandacht aan. Leg, zodra je de stem hoort, de hoorn op de haak. Maar hoe dan ook, bel mij niet meer. Ik wil geen contact!" En ze verbrak de verbinding.

Ze legde de hoorn op het tafeltje en zakte neer in de bureaustoel. Bij de woorden van Vincent had ze onmiddellijk gedacht: Vader. Het is vader. Hij roerde het onderwerp nooit meer aan omdat hij geen steun kreeg, maar hij vond nog steeds dat een man die weet dat hij een buitenechtelijk kind heeft, moet bijdragen in de kosten voor het onderhoud van dat kind. Maar zou vader zover gaan dat hij Vincent erover belde? En een vrouwenstem? Misschien Sanne Terpstra?

Toen Werner thuiskwam, speelde Rob met een vriendje in zijn kamer. Ze hoorden de luide jongensstemmen. Yvonne keek, diep weggedoken in een wijde stoel, de benen hoog opgetrokken, naar de platen in een sprookjesboek.

Werner kuste haar, fluisterde: „Dag lieveling," en stelde meteen de vraag: „Alles rustig... of juist niet?"

„Jammer genoeg niet. Vincent heeft gebeld. Ik zei hem me niet meer te bellen, waarop hij antwoordde dat hij toch iets moest zeggen. In de voorbije weken is hij driemaal gebeld door iemand die met een verdraaide stem sprak. Twee keer was het beslist een man en eenmaal dacht Vincent er een vrouwenstem in te herkennen. Alle keren werden dezelfde woorden gezegd: Reserveer geld voor de studiekosten van je zoon."

In Werners blauwe ogen kwam een donkere blik. „Jij denkt hetzelfde als ik: je vader."

Eline knikte. Wie kon het anders zijn? Werner herhaalde wat ze had gezegd: „Tweemaal een mannenstem, eenmaal een vrouw. Een vrouw in het complot. Moeder Ditte is het beslist niet. Zij is fel tegen inmenging van Vincent in ons leven."

„Vincent praatte niet over inmenging, alleen over geld reserveren."

„Dit is een ernstige zaak. Als we op dit gegeven afgaan, en een ander aanknopingspunt hebben we niet, is het iemand die de belangen van Rob op het oog heeft. Ook iemand die verwacht dat wij in de toekomst zijn studie niet kunnen betalen. En dat zal je vader niet zijn."

„Of iemand die vindt dat jij de studie niet alleen hoeft te betalen omdat een biologische vader moet begrijpen dat een groot deel van die kosten zijn zorg zijn. Je weet hoe vader Koen erover dacht en er waarschijnlijk nog over denkt."

„Ja. Hij is een man van principes. Misschien is het vader Koen. Het is er inderdaad de persoon naar."

„Vader vond dat hij hierin gelijk had. Hij praatte er destijds met moeder over, maar zij veegde alles resoluut van tafel. 'Palensteyn betaalt niets! Hij moet zich niet met het kind bemoeien! Als er geld van hem wordt aangepakt, heeft hij rechten en dat willen Werner en Eline niet! Mensen die ergens geld aan geven, willen altijd rechten hebben.' Na die uitval zweeg vader, want hij begreep dat zijn Ditte niet op andere gedachten te brengen zou zijn. Dat had hij door jarenlange ervaring met haar wel geleerd. Maar het bleef in zijn gedachten."

„Je zegt het op een lichte toon maar nee," Werner schudde zijn hoofd, „ik geloof niet dat vader Koen zou overgaan tot bellen naar Vincent. Hij heeft veel praatjes, maar als puntje bij paaltje komt, durft hij dat niet. En ook, lieve schat, wat zal er gebeuren als moeder Ditte dit ontdekt? Maar hoe komen we er meer over aan de weet? Misschien is het goed het aan je moeder te vertellen. Moeder Ditte komt dikwijls op woensdagmorgen. Bij de koffie kun je erover beginnen."

Die woensdagmorgen parkeerde Ditte Sanders inderdaad tegen halfelf de Ford op het zijpad naast het huis.

Na het uitwisselen van onbelangrijke berichtjes vertelde Eline dat Vincent had gebeld... en waarover.

„Kind, Eline," reageerde Ditte met angst en bezorgdheid in haar stem, „ik weet wat jullie denken! Mijn gedachten gingen tijdens jouw verhaal ook al naar vader! En we hoeven elkaar niets wijs te maken, we weten dat hij er destijds behoorlijk over heeft doorgedramd dat de vader van Robbie met geld over de brug moest komen. Toen hij de naam Palensteyn hoorde was het helemaal bingo voor hem! Maar," Ditte lachte toch even, „toen waren Werner en jij al getrouwd. Vader had vertrouwen in Werner en jullie riepen dat jullie het beslist niet wilden. Plan van tafel, maar misschien niet uit papa's hoofd. Hij kan aan dergelijke denkbeelden vasthouden en er zit natuurlijk een kern van waarheid in. De laatste jaren is er thuis met geen woord over gesproken, maar," er kwam een verdrietige klank in Dittes stem, „het kan zijn dat hij er met Sanne over heeft gepraat. Ik neem aan dat hij zo nu en dan vertelt over wat er in het leven van onze dochters voorvalt. Je zei dat er een vrouwenstem bij was? Maar nee, Elien, ik geloof niet dat Sanne een afspraakje zou maken met vader om om de beurt naar Vincent te bellen over studiegeld voor Rob! Nee, dat gaat te ver, dat doet Sanne niet."

„Ken je Sanne?"

„Ik heb haar nooit ontmoet, maar we hebben elkaar enkele malen aan de telefoon gehad. Toen papa een paar winters geleden een behoorlijke griep had, weet je nog? En ook toen hij in haar huis aan het werk was om een nieuw kozijn in het keukenraam te zetten. Het klusje viel tegen en Sanne belde om te melden dat hij later thuiskwam. We hebben toen even over andere dingen dan het keukenraam gepraat. Het lijkt me een verstandige vrouw."

„Waarom zoek je haar niet eens op? Je zegt dat ze weinig contacten heeft."

„Op zich kan dat natuurlijk wel en ik vermoed dat Sanne het gezellig zal vinden, maar, Elien, het is vaders adres! Hij vindt het prettig met haar te praten en ik wil me daar niet tussen dringen. Maar in dit geval," Ditte Sanders boog zich naar haar dochter toe, „is het wellicht het beste Sanne rechtstreeks te vragen of er een mogelijkheid is dat vader dit spelletje met Vincent speelt. Alleen zal hij het niet doen. Dat durft hij niet. Een grote mond, maar een klein hartje. Ik zie wel wat ik ga doen."

Tegen kwart voor twaalf stond Ditte op. „De kinderen komen zo uit school en vader werkt in de buurt. Hij komt rond halfeen thuis een boterham eten. Vanavond vertel ik hem wat er gaande is en vraag ik hem of hij hierachter zit."

Eline liep mee naar de auto. „Ik ben toch wel nieuwsgierig."

„Het zou vreselijk zijn als je vader dit doet. Maar, lieverd, hij is er toe in staat."

„Eline," riep Ditte door het geopende raampje terwijl ze langzaam het pad afreed, „je hoort van me!"

Ze reed over de stille weg terug naar Rodeveld, haar gedachten bij wat Eline had verteld. Zou Koen... Maar wie anders van hun familie zou dit doen? Niemand toch?

Als ze Koen er vanavond naar vroeg, was de kans groot dat

hij het ontkende. Hij zou beslist niet toe durven geven dat hij zoiets deed. Hij zou weten dat ze er woedend over zou zijn.

Ze week uit om een kleine wagen te passeren. Klaas Smeding zat achter het stuur. Ze stak haar hand naar hem op en Klaas zwaaide terug.

Maar die vrouwenstem... Als Koen er iets mee te maken had, kon de vrouwenstem alleen van Sanne zijn. Sanne was wel een vrouw die haar mond open durfde te doen, maar dit, nee, dit zou Sanne Terpsta niet doen.

Ze moest het Sanne vragen. Dat was beter dan er tegen Koen over te beginnen. Even vroeg ze zich af of het verraad was aan Koen. Als het een plannetje was van die twee en zij vroeg opheldering aan Sanne? Maar het ging om de waarheid. Ze moest de waarheid weten.

's Middags draaide ze het nummer.

„Sanne Terpstra," klonk het in haar oor.

„Sanne, met Ditte Sanders."

„Kind, je stem doet me toch even schrikken. Is er iets naars aan de hand? Met jou, met Koen, met één van de kinderen?"

„Nee, gelukkig is met het hele stel alles in orde. Maar ik heb een vraag aan je."

„Kom er maar mee op de proppen. Ik hoop dat ik je het antwoord kan geven."

„Ik neem aan dat Koen zo nu en dan over onze dochters vertelt?"

„Ja. Wij hebben huis-, tuin- en keukengesprekken en daar komen jullie ook in voor. Maar Koen vertelt alleen goede dingen. Hij is een tevreden echtgenoot, Ditte, je betekent veel voor hem. En hij is een trotse vader en opa. Geen betere meiden en schoonzoons dan die van jullie. En geen lievere kinderen dan Rob, Yvonne en Dieneke."

„Mijn vraag gaat over Eline. Je kent haar geschiedenis?"

„Ja. Ik was daar al van op de hoogte voor Koen over de

vloer kwam. Mensen uit het dorp hebben me destijds over bijzondere gebeurtenissen verteld. Het huwelijk van Anton van Buuren met een Surinaams meisje, de scheiding van Koos en Hetty de Winkel en ook dat één van de meisjes Sanders in de steek werd gelaten toen ze zwanger was. Maar," Sanne lachte, „er werd ook vol bewondering gezegd dat vooral jij heel fier met het gebeuren was omgegaan. Je had gezegd dat het beter is er een kind in de familie bij te krijgen dan een familielid aan de dood te moeten verliezen. Klare en verstandige taal."

Ditte lachte met haar mee.

„Zegt Koen wel eens dat hij vindt dat de biologische vader moet bijdragen aan de opvoeding van de jongen?"

„Toen hij hier na het tweede karwei nog even bleef zitten, hebben we daar inderdaad over gesproken. Het recht van de moeder op hulp van zo'n vent. Maar Koen vertelde ook dat zijn schoonzoon en dochter het beslist niet wilden. Hij vond zelf ook dat het goed was zonder bemoeienis van die man te leven. Rob is officieel de zoon van Werner Hofstra. Na die ene middag is het onderwerp hier niet meer aangeroerd. Waarom vraag je dit?"

Ditte vertelde wat Vincent had gezegd.

„Ik ben ervan overtuigd dat Koen hier niets mee te maken heeft. Als achteraf zou blijken dat het wel zo is, heb ik me vreselijk in hem vergist. Nee, Koen weet hier niets van. En, Ditte, dit wil ik je nu ook zeggen: Koen komt hier zo nu en dan, we babbelen gezellig, maar er is absoluut niets tussen ons. Hij vindt het prettig een poosje te praten. En ik vind het ook prettig. Ik heb een druk leven achter de rug, altijd mensen om me heen, ik verlangde naar rust, maar het is me hier erg tegengevallen. De mensen bemoeien zich niet met me. Ze hebben hun families om zich heen en ze hoeven mij er niet bij te hebben. Ik weet ook dat ik er niet tussen pas. Ik zie het leven, de maatschappij en alles wat er om en met ons gebeurt, vanuit een andere invalshoek dan zij. Dat past niet bij elkaar."

„Ik zoek er niets achter, Sanne. Koen en ik hebben een goed huwelijk en dat wil hij zo houden. Samen oud worden met onze kinderen en kleinkinderen om ons heen."

Ze praatten nog even door. Sanne stelde op een gegeven moment voor elkaar te ontmoeten, maar Ditte gaf als antwoord: „Ik vind het beter dat niet te doen. Ik geloof dat we het samen gezellig zouden kunnen hebben, maar Koen zal het aanvoelen alsof ik zijn vriendschap met jou van hem wil afpakken en dat wil ik beslist niet."

8

Het was drie jaar later. Op een dag zei Werner tegen Rob: „Je zit nu in groep acht van de basisschool jongen. Aan het einde van het jaar moet je beslissen naar welke school je wilt gaan. Heb je al een idee wat je in de toekomst wilt gaan doen?"

Werner veronderstelde dat Rob hierover nog niet had nagedacht, een jochie van elf, maar Robs antwoord verraste hem.

Rob lachte. „Ik weet wel, pap, wat ik niet wil worden. Maar daar ben je zeker niet nieuwsgierig naar."

„Ik wil het toch wel weten."

„Ik wil geen slager worden; zo zielig, dat snijden in dode dieren. En geen kapper. De hele dag om een krullenkop heen draaien en in vette haren frunniken. Ook geen ober. Maar weet je," hij boog zich voorover naar Werner, „dat ik iets heb met cijfers en letters? Daarvan ben ik me de laatste tijd echt bewust, nou ja, ik weet het al heel lang."

„Met cijfers is heel veel te doen. Ik ben er vrijwel elke dag mee bezig."

Werner dacht: Wat is het toch een heerlijk joch! Vrolijk, blij, aanhankelijk, en hij praat zo gemakkelijk met me. Ik ben zijn vader. Eline heeft gelijk, we mogen hem dit gevoel van veiligheid, van geluk, nog niet ontnemen. Hij is er nog niet aan toe de waarheid te weten.

„Dus, papa, ik wil naar Het Borger. Jaap, Thomas en nog een paar jongens gaan daar ook heen. En Hetty en Carla en meer meisjes. Het wordt op die school ook wel leuk. En ik zie later wel wat ik wil gaan doen."

„Zo is het, mogelijkheden genoeg."

Eline had het gesprek vanuit de keuken gevolgd. Ze wilde de kamer niet binnen gaan om dit gesprek te verstoren.

Yvonne gleed uit haar stoel. Ze legde het boek op de tafel en slenterde de keuken in. „Het is een mooi boek. Ik kan nog niet goed lezen, maar ik weet wel wat er gebeurt. Dat zie ik aan de plaatjes."

„Ja. De tekenaar heeft ze zo getekend dat je kunt zien wat er gebeurt."

„Ik wil ook tekenaar worden. Het is leuk om zulke boeken te maken."

„Als je vaak tekent, leer je het steeds beter. Want de mensen die dit boek gemaakt hebben, konden het ook nog niet toen ze zeven jaar waren!"

Yvonne lachte. „Nee, dat denk ik ook niet! Als ik de tekeningen zie die in onze klas gemaakt worden, is er niet één bij die zo mooi is als in dit boek."

Later die avond, toen de kinderen naar bed waren, vroeg Werner: „Heb je gehoord hoe gezellig Rob kletste vanmiddag?"

„Ja. Ik was in de keuken en ben expres niet naar de kamer gegaan om jullie niet te storen."

„Dat was verstandig. Het was een heerlijk gesprek. We weten nu dat hij naar het Borger College wil. En we wachten maar af hoe het daar gaat."

„Yvonne begint nu ook met het schrijven van lettertjes en cijfertjes. Maar zij breit daar geen hele verhalen omheen."

„Yvonne heeft een minder speelse natuur dan Rob. Rob ziet van veel gebeurtenissen de vrolijke kant. Het is niet zo dat Yvonne geen fantasie heeft, maar ze kijkt nuchterder naar de wereld om haar heen. Ik vind het heerlijk de kinderen gade te slaan. Je ziet ze niet alleen lichamelijk groeien, maar ook in denken en begrijpen."

Opnieuw gingen er twee jaar voorbij. Het waren rustige en gelukkige jaren voor Eline en haar gezin. In die twee jaren had Vincent viermaal gebeld. Na het horen van zijn stem verbrak ze elke keer onmiddellijk de verbinding. Ze wilde niet met hem praten.

Deze dag heersten er rust en stilte in en om het huis aan de Vondellaan. Buiten ruiste en ritselde de wind door de takken en bladeren van de bomen achter in de tuin. Het was eind augustus. Nog volop zomer, maar de herfst naderde stilletjes.

Eline genoot van elk jaargetijde. De lente, de zomer, en zoals nu, deze dag, de tuin nog vol kleuren, de struiken groen, de zonnestralen die over de bomen heen de tuin en het huis in een warme gloed zetten, nog echt zomer, maar de verandering werd zichtbaar voor wie het wilde zien. En zij wilde het zien.

Werner was op de bank. De kinderen waren op school. Rob vertrok om tien minuten voor halfnegen na het schelle fluitje van Jan-Willem en voor Yvonne was haar vriendinnetje Veerle door de achterdeur het huis binnengestapt en met z'n tweetjes gingen de dametjes de voordeur weer uit.

In de keuken had Eline het zachtgroene kleed met zorg, de overstekende rand aan alle zijden even lang, over de ronde tafel gelegd. Ze nam het witgelakte, houten blad waarop een Marjolein Bastin-servies stond, van het aanrecht en zette het op de tafel. Op het zachtgroene kleed. Daar hoorde het te staan. Daar paste het. Ze keek er even naar. De zachte kleuren van de bloemen, de ranke, lichtgroene steeltjes en de blaadjes, geschilderd op de ronde theepot. Het servies, dacht ze met een lachje, is een blikvanger in de keuken.

Ze nam het nog opgevouwen ochtendblad van het aanrecht en liep naar de kamer. Haar ogen gleden over de voorpagina. Veel van dit nieuws was eigenlijk oud nieuws. De berichten waren gisteravond al over het televisiescherm gegleden. Ze sloeg de bladen om tot het plaatselijke nieuws uit Borger-karspel en omstreken. De familieberichten. Ze zag meteen het met een krullerige rand omgeven bericht. Met blijdschap... de geboorte van ons dochtertje en zusje Sophia Charlotte. En eronder de namen: Charlotte, Vincent en Loekie Palensteyn.

Een tweede dochter voor Vincent. Geen zoon.

Een paar weken geleden vertelde Werner nog: 'Ik kijk zo nu en dan met een nieuwsgierige blik naar de familieberichten om te zien of de gewenste opvolger van Vincent al is geboren. Ze zullen ook blij zijn met een meisje, natuurlijk wel, maar beslist veel blijer met een jongen. Voor ons zou de komst van zo'n ventje ook heerlijk zijn. Dan is er een officiële opvolger.'

Nu dus dit bericht. Geen zoon voor Vincent en Charlotte.

Aan het einde van het gesprek tussen Charlotte en haar in De Madelief had Charlotte luchtig gezegd: „Ik heb een heerlijke baan: eerste assistente van Klaas Scheltema! Ik weet dat Vincent uitziet naar een kind en één kind erbij wil ik, als het ons gegeven wordt, ook wel. Met twee kinderen hebben we een echt gezinnetje, dat zou prachtig zijn. Ik blijf mijn werk doen. De mannen moeten maar zien hoe ze het in het bedrijf willen regelen, maar ik ga niet door met kinderen krijgen tot er een zoon is! Misschien zoekt Loekie later een boom van een kerel uit om mee te trouwen en kan een schoonzoon later het bedrijf overnemen. Dat kan toch ook?"

Gisteravond had Eline Werner gevraagd: „Rob is in juli dertien geworden; vind jij dat we hem de waarheid kunnen vertellen?"

„Hij zit nu in het tweede jaar van Het Borger. Alle ouders weten dat kinderen snel veranderen als ze eenmaal op de middelbare school zitten en dat zien wij bij Rob ook. Mama noemde het: hij is van schoolkind tiener geworden. De jongens zien de meisjes niet langer als lastige wezens en kakelende kippetjes en de meisjes praten en giechelen over de knullen. Leuke gozer, die Rob Hofstra! En het is toch ook een leuke jongen?

Ik heb er ook over nagedacht. Het staat vast dat we het hem moeten vertellen. Maar welk moment is het goede moment?

Ik ben bang, Elientje, dat de tijd er toch wat Rob betreft niet rijp voor is. Ik vrees dat we een diepe wond slaan in zijn veilige, goede en vertrouwde wereldje."

Ze had geknikt. "Dat ben ik met je eens. Hij is zo blij met jou. Jij bent zijn vader, zijn vriend, zijn vertrouwensman. Hij kan jou al zijn problemen voorleggen en jij weet raad. Jij begrijpt de jongen."

„Het is een fijne knul. Ik hou van hem. En hij heeft een heerlijk gevoel voor humor. Hij is open en eerlijk. Ik ben bang dat de woorden: ik ben je echte vader niet hem verdrietig zullen maken. Robs leven zal er volkomen door veranderen, er zal iets kapotgaan. Nuchter gesproken verandert er helemaal niets tussen ons. Ik blijf voor hem wie ik ben en hij blijft voor mij dezelfde jongen, maar hij is nog te jong, te veel kind om het op de juiste manier aan te kunnen voelen. Hij zal zich realiseren: er is een andere man die mijn echte vader is. Papa is dat niet. Het zal ontzettend veel vragen oproepen.

Ik ben in gedachten teruggegaan naar de tijd toen ik zelf twaalf, dertien jaar was. Ik herinner me die tijd nog heel goed. Op de basisschool voelde ik me thuis. De andere kinderen waren vanaf mijn vierde jaar om me heen. We hoorden bij elkaar. Door alle klassen heen regelde de juf of de meester alles. De overstap naar de middelbare school bracht veranderingen. Drie meisjes en twee jongens uit mijn oude klas gingen met me mee. Maar die jongens waren mijn vriendjes niet. Ik voelde me op de school niet op mijn gemak. Het was niet mijn klas, mijn meester. Ik voelde me pas weer lekker als ik naar huis fietste."

Werner glimlachte naar Eline toen hij zei: „Maar ik was ook een andere jongen dan Rob. Minder dapper en stiller. Als mijn ouders me in die tijd hadden geroepen om me voorzichtig te vertellen dat mijn vader niet mijn echte vader was, zou mijn wereld volkomen zijn ingestort. Nu voel ik het anders, nu weet ik dat de liefde voor een kind een man of vrouw tot een gelukkige ouder maakt. Ik ben er zelf het bewijs van. Er is geen twijfel mogelijk. Maar zo zeker weet ik ook dat het Rob een geestelijke dreun zal geven die hij moeilijk te boven komt, omdat hij te jong is om alles te begrijpen. Wat is een biologische vader? We kunnen het hem uitleggen. Na die uitleg weet Rob hoeveel inbreng die man in zijn leven had. Wat heb ik in zijn leven ingebracht? Liefde, aandacht, hulp. En geld om te kopen wat hij nodig heeft en graag wil hebben, maar zal dat voor hem ook belangrijk zijn? Er zullen veel vragen zijn. Ik word van zijn papa een man die met zijn moeder trouwde. Maar eigenlijk hoort zijn moeder bij die andere man. Ik wil er niet dieper op in gaan, maar het is niet onmogelijk dat hij wil weten wie die man is." Werner keek haar aan en Eline knikte.

Ze antwoordde: „Het is misschien beter te wachten tot Rob meer begrijpt van relaties. Maar, ik heb meerdere artikelen gelezen over kinderen die naar hun eigen oordeel te laat werden ingelicht. Ze vinden dat hun ouders eerder hadden moeten vertellen hoe de vork in de steel zat."

„Mogelijk gingen die kinderen voorbij aan hun inlevingsvermogen toen ze tien, elf jaar waren. Maar ik blijf, net als jij, angst houden Rob geestelijk te beschadigen. Het klinkt eigenwijs mezelf een goede vader te vinden, maar er is een goede band tussen hem en mij. Praten over dit onderwerp kan veel overhoop halen."

„We stellen het uit. We bewaren de waarheid tot we er zeker van zijn dat onze jongen er op een goede manier mee om kan gaan."

Twee dagen later meldde Eline in de vroege morgen aan Robbert: „Ik ga vanmiddag met oma Hermine en tante Marianne winkelen in Walkenaar. Yvonne gaat na schooltijd met Tineke mee naar huis, mevrouw Scheffers weet ervan. Jij neemt, als je dat wilt natuurlijk, alleen Tim mee naar huis. Niet meer druktemakers over de vloer. Ik ben tegen zes uur weer terug."

„Prima, mama," klonk het goedig.

Rob was alleen naar huis gefietst. Tegen Tim had hij gezegd dat hij nog niets aan de repetitie Engels voor morgen had gedaan en dat hij daar, zodra hij thuis was, aan wilde beginnen. De leraar had nadrukkelijk gezegd dat de repetitie belangrijk was. Tim had er, op de hoek van de Vondellaan, één voet op een trapper van zijn fiets en één voet op de trottoirrand, over gezegd: „Nou, daar ben je dan lekker snel mee! Succes dus! En tot morgen!" en hij fietste de Herenstraat in.

Thuis pakte Rob de schooltas, zette hem boven op de tafel en liet de boeken en multomappen uit de tas op de huiskamertafel glijden. Hij kon wel aan deze tafel gaan zitten. Het was lekker stil in huis, ruimte genoeg, niemand om te leuteren en de koektrommel stond op de tafel. Mama wist dat hij na schooltijd altijd honger had. Hij at een grote koek en haalde een glas melk uit de koelkast. Daarna zocht hij in het studieboek de juiste bladzijde op en begon te lezen.

Een half uur later rinkelde de telefoon.

Hij nam de hoorn op en zei alleen: „Met Rob."

„Rob, ik wil je ontmoeten," klonk een vreemde, wat hese stem in zijn oor. Intuïtief besloot hij: niet meteen ophangen, horen wie dit is, horen wat er verder gezegd wordt.

„Ontmoeten? Mij?"

„Ja, jou."

„Wie ben je?" Hij had geen zin u te zeggen.

„Je grootvader."

„Mijn gróótvader?" Hij voegde een ongelovig lachje aan zijn antwoord toe.

„Ja!" schreeuwde de stem opeens, „ik wil jou ontmoeten! Je

heet Hofstra, maar die naam klopt niet! Die naam is verkeerd! Maar maak je er geen zorgen over, want het is niet belangrijk. Een ambtenaar aan een bureau heeft die naam opgeschreven. Maar jij bent een jongen van ons geslacht."

Rob hield de hoorn even weg van zijn oor omdat de man zo luid schreeuwde. Hij voelde zijn lichaam trillen en vroeg zich af wie deze zot was. Hij vroeg nogmaals: „Wie ben je?"

Nu klonk het antwoord rustiger. „Ik ben je grootvader."

Rob herhaalde dat woord stamelend „Gróótvader?"

„Ja. En ik ben de enige van de hele troep hier die beseft hoe belangrijk jij bent! De rest slaapt! Ze willen het niet zien!" De man schreeuwde weer in de hoorn: „Maar ik weet..."

Robbert Hofstra voelde vaag het belang van blijven luisteren, meer horen, meer weten. Maar een grote onrust en ook angst maakten zich van hem meester; want wat ging die vent nog meer zeggen? Was de man normaal? Hij zei zulke gekke dingen. En met een sterk gevoel van: dit wil ik niet, ik wil niet luisteren, drukte hij op een toets en verbrak daardoor de verbinding. Het leek alsof de luide stem nog in zijn oor naklonk, maar dat kon natuurlijk niet. Hij wankelde naar de bank en viel er languit op neer. Schrik, angst en onbegrip trilden in zijn lijf.

Toen Eline thuiskwam, zat hij aan de tafel met de boeken voor zich.

„Hallo, Robbert, schiet je goed op? Lekker rustig in huis, hè?" Ze schoof twee tassen met namen van modehuizen op de bank.

„Nee mam, ik schiet niet goed op en het was niet rustig in huis. Ik zal het vlug vertellen, voor Yvonne thuiskomt. Dan weet je alvast wat. Ik werd gebeld." Hij keek haar strak aan, maar hij was intussen toch enigszins tot rust gekomen.

„Iemand belde me. Een man die zei: 'Ik ben je grootvader.'"

„Je gróótvader? Opa Koen? We noemen hem nooit grootvader! Wat gek."

„Het was opa Koen niet. En ook niet opa Tom. De man die zich mijn grootvader noemde, hoorde in een andere familie thuis. Ken jij die familie?"

Robs stem klonk schril en hoog, de schrik kwam terug.

Eline zakte in een stoel neer. „Jongen, Rob, alsjeblieft, praat rustig. Je zult van schrik de draad even kwijt zijn, maar vertel eens hoe het precies is gegaan."

„De telefoon rinkelde. Ik nam op. Een mannenstem, ik denk dat het inderdaad de stem van een oudere man was, zei dat hij mij wilde ontmoeten. Ik heet Hofstra, maar dat is mijn echte naam niet, zei hij. Weet jij daar iets van? Maar het betekende niets, want het is een naam op papier, zei hij ook nog."

Eline schudde haar hoofd. Wat betekende dit?

Rob praatte verder: „In werkelijkheid ben ik, hoe zei hij dat, nou ja, het komt erop neer dat ik een lid van zijn familie ben. Maar de mensen van die familie weten niet hoe belangrijk ik ben. Hij weet dat wel. Zoiets riep hij. Ik wilde wel verder luisteren, maar ik werd een beetje bang van dit malle gedoe. Misschien was het een patiënt die weggelopen is uit een verpleeginrichting, zomaar een nummer draaide en begon te dazen! Hij riep ook nog dat hij de enige van de hele troep is die beseft wat ik voor hen kan betekenen! Op dat moment heb ik de verbinding verbroken."

„Rob, wat een toestand. Maar ik weet in welke richting we de beller moeten zoeken. Er is nu geen tijd om daarover te praten, Yvonne komt zo thuis en papa. Vanavond praten we verder. Het kan niet anders, het moet gebeuren. Pap en ik vinden je nog te jong om alles te horen, maar nu dit gebeurd is, is het beter niet langer te zwijgen."

Eline stond moeizaam op van de stoel. Ze schudde haar hoofd en zei weer: „Vanavond praten we verder, lieverd. Als papa er is. Hoe is het met je huiswerk? Ik neem aan: miserabel."

Rob knikte, nee, hij schoot niet op.

's Avonds opende Werner het gesprek met de vraag of Rob nog had nagedacht over wat er die middag gebeurd was.

Rob knikte. Hij vroeg zich af waartoe het gesprek van vanavond zou leiden.

Eline begon te vertellen. Over haar ontmoeting met een aardige jongen in de bus naar Rodeveld, hun vriendschap die overging in liefde. Ze bleef bij al die woorden naar Rob kijken. Ze zei: „Ik noemde die jongen thuis, tegen mijn ouders en zussen, Pieter."

Rob knikte, maar hij vond het mal. Waarom de ware naam niet? Maar mama zou er destijds een goede reden voor gehad hebben.

Ze praatte over het bedrijf van Pieters vader, Pieters studie bedrijfskunde en de flat in Walkenaar.

Eline overwoog iets te zeggen over de liefde tussen Pieter en haar tegen de jongen die tegenover haar zat. Dertien jaar, een kind nog. Hij keek haar met een ernstige blik in de bruine ogen aan alsof hij voorvoelde dat er iets ernstigs gezegd ging worden. Ze wilde hem zeggen dat het niet zomaar een ongelukje was geweest waardoor hij was geboren, maar echte liefde. Maar Werner luisterde mee en hem wilde ze niet krenken door te praten over haar grote liefde voor Vincent destijds. Het was tenslotte voorbij, alles was anders.

Eline praatte verder, over haar voornemen Pieter van de zwangerschap te vertellen.

„Op een zaterdagmiddag stapte ik in de trein naar Walkenaar. Maar verder dan het voornemen het te vertellen, kwam ik niet omdat Pieter zo mogelijk meer opgewonden en emotioneel was dan ik. Hij was in de war omdat hem verteld was welk drama zich over het bedrijf dreigde uit te storten. Grote schulden, een faillissement, de inzinking waarin zijn vader verkeerde en de tranen van zijn moeder.

Rob hoorde alle woorden verbaasd aan. Hij hield zijn ellebogen op de tafel gedrukt, zijn hoofd rustte in de handen, de donkere ogen staarden in verbijstering naar het gezicht van zijn moeder. Hij vroeg niets, hij luisterde alleen.

„Maar er was een uitweg." Eline vertelde over de vrienden en hun dochter. „En," Eline zuchtte voor ze de woorden kon uitspreken, ze had in stilte geoefend ze te zeggen, „Pieter had het besluit genomen die uitweg met twee handen aan te pakken. Hij had geen keus, vond hij. Er stond te veel op het spel. Het bedrijf, en zijn vader die een geestelijke instorting nabij was. Het moest tussen ons voorbij zijn! Hij ging trouwen met Charlotte."

Toen ze zweeg, viel een emotioneel geladen stilte in de kamer. Werner prentte zichzelf in: Zeg niets, dit is tussen moeder en zoon. Straks mag je ze troosten, allebei.

Eline kon niet meer praten. Haar keel zat dicht.

Rob staarde in ongeloof en onbegrip naar haar. Eindelijk kon hij zeggen: „Wat erg, mam, wat moet dat een vreselijke middag voor je zijn geweest! Die Pieter is toch een schoft? Het zal voor hem het zwaarst gewogen hebben, de zaak. Maar hij heeft gezegd dat hij van jou hield, ik was er toch ook, dat is toch het bewijs dat het niet zomaar een vriendschapje was? Je verwachtte een kind van hem, al wist hij dat niet. Jij zei niets omdat hij had verteld dat hij ging trouwen! En jij dan? Met mij in je buik, want ik was de baby die je verwachtte; ja toch?"

„Ja. Ik heb de flat verlaten en ben teruggegaan naar Rodeveld. Kort daarna vertelde ik mijn ouders, jouw opa Koen en oma Ditte, wat er aan de hand was."

Eline praatte verder. Rob luisterde. Na de vele woorden van Eline stelde hij vast: „Ze vonden het natuurlijk een rot streek van die Pieter. Maar," hij lachte opeens, „toen ik in de wieg lag, vonden ze me toch wel een aardig jongetje?"

Het gesprek kreeg een lichtere toon. Werner vertelde over zijn liefde voor Eline en over de avond waarop hij haar daarover alles had gezegd, haar gevraagd had met hem te trouwen.

Rob vertelde: „Ik heb me wel eens afgevraagd hoe ik aan mijn bruine ogen kom. De hele familie Sanders, net als de familie Hofstra, heeft blauwe ogen. Niemand heeft bruine ogen. Alleen ik. Toen heb ik me afgevraagd: Hoe kan dat nou? Maar ik dacht er niet verder over na. Jij was mijn vader, maar dat is achteraf dus toch niet zo! Die Pieter heeft ook bruine ogen?"

Eline antwoordde alleen: „Ja."

„Is het bedrijf van zijn vader gered door die vriend? Ik hoop van niet, die rotvent heeft jou in de steek gelaten. Hij had volgens mij geen recht op geluk. Opa en oma hielpen je wel, maar het bleef toch verschrikkelijk. De rotzak! Ik gun hem van harte dat zijn plannetje volkomen is mislukt! Is dat ook gebeurd?"

Werner schudde zijn hoofd. „Nee, dat is niet gebeurd."

„Welk bedrijf is het? Het moet hier in de buurt zijn."

„Daarover vertellen we je later. Verwerk eerst dit maar eens. Je hebt genoeg om over na te denken. Probeer het een plaatsje te geven, zoals de mensen dat zo mooi noemen. Maar vaak is dat niet zo gemakkelijk."

Rob haalde zijn schouders op. Hij is dertien jaar, dacht Eline, een kind nog. Hij kon het, dacht ze, nog niet goed bevatten.

Rob zei: „Ik hou van jullie. Ik kan me van het hele verhaal niet echt een voorstelling maken. Wat voor kerel doet zoiets? Voor mij is je vader de man die van je houdt en die je helpt en die voor je zorgt. Jij houdt toch van mij? En jij zorgt voor mij? Ja, jij bent mijn vader." Er kwam een vreemde onrust over hem. Hij kon het niet thuisbrengen, het overviel hem en het maakte hem angstig dat zijn leven zou veranderen, dat alles anders werd.

Hij praatte luider, met verontwaardiging in zijn stem. „Die Pieter moet slim zijn, een gemeen karakter. Hij heeft het meisje dat hij zijn grote liefde noemde, toch pats-boem op een zaterdagmiddag aan de kant geschoven! Ik hoop niet dat ik die gemene streken van hem heb geërfd!"

„Lieve jongen," suste Werner, „probeer wat rustiger te worden. Het hele verhaal overvalt je en dat begrijpen we, maar de geschiedenis speelde zich ruim veertien jaar geleden af. Je bent nog te jong om over moeilijke zaken als deze te kunnen oordelen. Maar, je mag wel recht voor z'n raap zeggen dat het een intens gemene streek is geweest."

Rob knikte, min of meer voldaan; zie je, papa gaf hem toch gelijk. Hij boog zich over de tafel naar zijn ouders toe en vroeg: „Hoe lang weet die vent al dat ik er ben?"

„Tot ongeveer je derde verjaardag wist hij het niet. In die jaren heeft hij ook op geen enkele wijze contact met mij gezocht. Voorbij was voorbij, alles was voor hem uitstekend geregeld en opgelost. Maar op een zaterdagmiddag zag hij je tijdens een kinderfeest dat gehouden werd op het Julianaplein in Walkenaar." Ze vroeg zich af of Rob zich iets van die middag herinnerde. „Er was een prachtige poppenkast opgebouwd en er werd gezongen en gedanst."

„Ja, ja," riep Rob, „die poppenkast was heel leuk! Maar opeens liepen jullie weg! Er kwam een rare vent in een lange jas achter ons aan. Die vent huilde. Ik was bang omdat die vent huilde. Papa tilde me op en jullie liepen snel de straat uit. Die kerel kwam niet achter ons aan. Was dat...? Ik kan me niets van hem herinneren. Alleen die lange, donkere jas." Rob was even stil, vroeg toen: „En daarna? Ging het nog verder? Wat wilde hij?"

„Mama heeft met hem gepraat." Werner keek Rob ernstig aan. „Het was een gesprek dat rustig, verstandig verliep. Hij was inmiddels met de dochter getrouwd. De dochter die het schip met geld binnenloodste. Haar vader stuurde het bedrijf in veilige banen. In hun huwelijk werd een dochtertje geboren. Mama en ik waren toen ook al getrouwd. Jij bent onze zoon. Je heet Robbert Hofstra. Mama heeft hem toen gezegd dat het voor alle mensen die bij dit dilemma betrokken waren, het beste was alles de eerste vijftien, zestien jaar te laten zoals het was. Hij had zijn gezin, mama had haar gezin. Hij stemde daarmee in. Het was voor hem ook heel moeilijk deze waarheid, en vooral hoe hij gehandeld had, te vertellen aan zijn vrouw, haar ouders en zijn ouders. En wij wilden niets liever dan dit nare hoofdstuk loslaten. Er speelde te veel pijn en verdriet in mee. Pieter heeft toen gezegd dat pas als je de leeftijd had alles op de juiste manier te begrijpen, hij contact met je zou zoeken."

„Het telefoontje van vanmiddag..." Rob keek van de een naar de ander, „de man zei dat hij mijn grootvader was en hij wilde mij ontmoeten. Dat was dus de vader van Pieter. Pieter senior." Een grijns gleed over het jongensgezicht.

„Na dit telefoontje hebben papa en ik besloten om je te vertellen wat zich in ons leven heeft afgespeeld. Maar, Rob, je bent nog te jong om je er een goed oordeel over te kunnen vormen. Er speelt zoveel mee. Gevoelens, herinneringen, feiten en zakelijke beslissingen."

„Heb jij die Pieter helemaal losgelaten?"

„Ja. Ik ken alle voor hem belangrijke overwegingen om het besluit te nemen dat hij heeft genomen, maar voor mij was de liefde die we voor elkaar voelden het belangrijkste. Hij zei veel van me te houden, maar hij schoof me volkomen van zich af uit eigen belang. Mijn liefde voor hem ebde snel weg. Het beste voor beide partijen was los van elkaar de toekomst in te gaan.

Maar, dat wil ik wel zeggen, in de tijd toen we elkaar leerden kennen en verliefd waren, was Pieter beslist geen losbol, geen man die mij probeerde te veroveren om me daarna weer te laten vallen. Dat beeld mag je niet met je meedragen. Het zijn de omstandigheden geweest die dit veroorzaakt hebben. En het is goed gekomen. Voor Pieter, maar ook, vooral, voor mij. Ik ben gelukkig met jullie."

Rob knikte. „Ik geloof, mam, dat jullie houding het beste is. Jullie hebben niets of heel weinig met die man, maar het feit dat hij mijn biologische vader is, blijft toch. Of zie ik dat verkeerd?"

„Nee, dat zie je goed. Dat feit blijft. Pieter is hoe dan ook je biologische vader. Maar het verleden heeft bewezen dat hij de omstandigheden naar zijn hand weet te zetten."

„Wat een moeilijke zin, pap," lachte Rob.

„Ja jongen. In mijn vak leer je mooie woorden aan elkaar te rijgen, maar het voornaamste is dat het de waarheid is."

„Wat zou Pieter aan mij kunnen hebben?"

„Dat weet ik niet. Mama weet het ook niet. Misschien heeft hij helemaal niets aan je, dan laat hij je waarschijnlijk gewoon los. Maar misschien komt er in de toekomst iets op zijn pad waarvoor hij jou kan gebruiken."

Rob haalde zijn schouders op. „Eerlijk gezegd begrijp ik de hele geschiedenis nog steeds niet."

„Dat is logisch. Je hoorde vanavond heel veel. Denk er maar niet te diep over na. Het is nu moeilijk voor je, maar langzaamaan zal alles wel duidelijk worden. Vraag ons wat je wilt weten. Mama en ik zullen overal antwoord op geven en je het hoe en waarom uitleggen; als we het zelf weten tenminste! Als we het zo aanpakken zal het uiteindelijk allemaal duidelijk worden. En er is tijd genoeg."

Rob knikte. „In elk geval blijft alles zoals het nu is."

„Ja. Alles blijft zoals het is. Het enige wat telt is dat, als die man weer belt, jij weet wie het is. De vader van Pieter."

Rob zei met een lachje: „Ik noem hem maar opa Pieter. Ik kan geen andere naam voor hem bedenken."

Eline lachte terug, maar ze zei niets.

Heel laat in de nacht werden de lichten in de kamer in het huis aan de Vondellaan in Borgerkarspel één voor één uitgeknipt.

Rob was tegen halftwaalf naar boven gegaan.

„Morgen moet ik weer fit en helder naar school," had hij lachend gezegd, „maar de Engelse woordjes zitten niet in mijn hoofd."

„Als je er narigheid door krijgt bel ik morgenochtend wel met de directeur. Ik zal hem zeggen dat er moeilijkheden in huiselijke kring zijn en dat jij erbij betrokken bent en daardoor geen tijd had..."

„Nee, nee," viel Rob haar in de reden, „doe dat maar niet. Ik red het wel. Ze hebben er niets mee nodig, dit is iets alleen van ons. Daarbuiten hoeft niemand ervan te weten."

Even later brandden ook de lichten in de grote slaapkamer aan de achterzijde van het huis niet meer.

„Morgenavond maar weer lezen. Het is er nu te laat voor," had Eline gezegd voor ze op haar blote voeten naar het raam liep om de gordijnen een stukje vaneen te schuiven. De volle maan stond aan de hemel. Ze bleef er even naar kijken. Er gebeurde zoveel op deze aardbol, maar Gods schepping ging in een vast ritme door, jaar in, jaar uit.

„Kom in bed," klonk Werners stem, „dan liggen we samen in het maanlicht. Even wat romantiek na een heftige avond."

Ze kroop dicht tegen hem aan. Zijn arm om haar heen.

„We hebben onze jongen te vroeg de waarheid verteld. Het geeft hem te veel om over na te denken, maar het kon niet anders."

„Nee, het kon niet anders. Ik heb medelijden met hem. We moeten er in de komende dagen rekening mee houden dat hij het moeilijk zal krijgen. Hij weet niet wat hij ervan moet denken."

„Dat is waar. Maar ik heb me dikwijls verbaasd over zijn nog wel kinderlijke, maar toch nuchtere kijk op veel zaken. We zullen afwachten hoe één en ander zich ontwikkelt."

Na een korte stilte vroeg Werner: „Was het erg moeilijk voor je er met hem over te praten?"

„Ik bereidde me erop voor vanaf het moment waarop hij vertelde over het telefoontje van vader Palensteyn. Ik wist: nu gaat het gebeuren. Maar het was moeilijk. Dertien jaar en dan deze dingen over je leven horen. Rob zag, tot deze avond, in jou zijn ideale vaderfiguur. Jij was zijn vader. Zoals de vaders van Nick, Tim, Thomas en noem maar op, gewoon de vaders van die jongens zijn. Maar nu is hem duidelijk geworden dat dat niet zo gewoon is. Rob is dik tevreden met zijn vader. Een vader en een zoon horen bij elkaar, dat is een verbond van de natuur, van vlees en bloed, zoals men dat vroeger noemde. We weten niet of vanavond voor hem iets van die zekerheid verloren is gegaan. Misschien niet. Ik weet niet hoe diep zijn gevoelens gaan. Maar alles wat hem verteld is, zal hem verdrietig maken. Zijn beeld van zijn leven is, denk ik, een beetje beschadigd. Alles is anders dan hij dacht. Waarschijnlijk denkt hij ook wel aan de man die zijn biologische vader is. Hij zal erover nadenken welke eigenschappen hij van hem heeft geërfd. Dan krijgt de man die ik opnieuw Pieter heb genoemd toch een plekje in zijn leven. Het hangt ervan af in hoeverre Rob Vincent een plaats in zijn leven wil geven. Vincent wil die plaats zeker hebben, dat weten we, maar zal Charlotte het dulden? Ze is een jonge vrouw met veel ambities, maar zij ziet naast sentimenteel gepraat over 'het is toch mijn kind' de nuchtere realiteit van wat er allemaal uit kan voortvloeien aan ruzies en verwijdering tussen Vincent en haar als te veel aandacht naar Robbert gaat. Daarbovenop geharrewar in de familie en, ook belangrijk voor Charlotte, de financiële kant van het geheel."

Na korte tijd hoorde ze Werners rustige ademhaling. Werner was een stabiel mens. Een man met degelijke denkbeelden; hij maakte zich geen grote zorgen voor de toekomst. Hij zou veel in de hand kunnen houden door zijn rustige, vertrouwde houding. En vooral was hij overtuigd van de goede band tussen hem en Robbert.

Er konden in de komende jaren moeilijkheden ontstaan, dat was te verwachten, omdat Robbert niet wist welke weg te kiezen. Maar eigenlijk viel er nog niets te kiezen. Meer dan een kleine, tijdelijke verwijdering tussen hen zou het gebeuren niet teweegbrengen. En, daarvan was Werner overtuigd, hij en zij zouden Robbert helpen zijn gedachten en gevoelens in goede banen te leiden.

Zij was daar niet zo van overtuigd. Robbert was nog jong, maar hij kon denken aan de mogelijkheden als hij wist van het bedrijf. Hij was misschien toch een echte Palensteyn. Geld, iets betekenen in het leven, de steun van zijn biologische vader... Het zou pijn doen, maar zij kenden de achtergrond.

Ze wreef heel licht en zacht over Werners blote arm. Werner ontmoette, voor hij haar zag, een paar maal een jonge vrouw die hij aardig vond. Hij ging met elk van hen een poos om, maar wist dat het niet de geschikte vrouwen voor hem waren. Hij maakte zich van hen los, het was voorbij. In Werners verleden was geen sprake van voorbije liefde, geen heftig houden van. Voor haar wel. Het betekende geen gevaar voor de liefde van nu, maar bleef wel op de achtergrond. Het kon niet uitgewist worden. Het hoefde ook niet uitgewist te worden. Het betekende niets meer. Maar zij wist dat Vincent aan

Robbert dacht, het kind van hun liefde. En, heel diep vanbinnen, ze zou het niemand ooit bekennen en bleef zijn handelen van toen naar buiten een gemene streek noemen, verraad aan haar, diep in haar hart begreep ze het hoe en waarom van het besluit van Vincent. Hij wist niet van hun kind. Hij wist wel wat het bedrijf voor de familie Palensteyn betekende.

Vrijdagavond vertelde Werner: „Ik had al viermaal geprobeerd Vincent Palensteyn aan de lijn te krijgen om hem aan te spreken over het gedrag van zijn vader. De antwoorden van de telefoniste waren: meneer is het land in, meneer zit in vergadering, meneer kan zo komen of meneer komt nog lang niet. Maar vanmiddag, warempel, kreeg ik verbinding met Palensteyn junior! Ik noemde mijn naam en hij wist wie ik was. Ik vertelde dat zijn vader ons gebeld had, Rob aan de lijn kreeg, en zei dat hij contact met de jongen wilde, hem wilde ontmoeten.

Vincent barstte meteen los. Hoe kon zijn vader dit doen! De jongen was dertien! Veel te jong voor een goed, inhoudelijk gesprek! Hoe haalde hij het in zijn hoofd. Na even stoom afgeblazen te hebben, praatte Vincent op een rustiger toon verder. 'Het bestaan van Robbert houdt hem erg bezig. Hoe we het ook wenden of keren, de waarheid is dat deze jongen een kleinzoon van hem is. Hij weet dat Robbert ook uiterlijk een Palensteyn is. Mijn vader zoekt een oplossing om de jongen dichter bij zich te halen. Maar die mogelijkheid zit er op dit moment niet in. Het beste voor het kind is dat hij onbezorgd van zijn kinderjaren geniet.

Het is mijn vader moeilijk duidelijk te maken dat hij het kind moet loslaten. De jongen speelt, ook al heeft hij hem nog nooit gezien, een grote rol in zijn leven. Toen hij destijds hoorde van zijn bestaan, heeft het hem vreselijk aangegrepen en het heeft hem niet meer losgelaten. Ik heb meerdere malen gezegd dat hij het naar de achtergrond moet schuiven tot Robbert volwassen is en zelf een mening over de hele geschiedenis kan vormen. Maar mijn vader is niet zo jong meer. Hij kan er niet op wachten. Hij vindt dat er nu al iets moet gebeuren. Er moet contact gelegd worden. Daarnaast heeft hij voor zichzelf de overtuiging dat hij de enige is die er op de goede manier over denkt, er het belang van inziet. Mijn moeder, mijn vrouw en ook haar ouders noemen de naam van Robbert niet. Maar," voegde Vincent eraan toe, „u begrijpt dat de jongen vaak in mijn gedachten is."

Toen Werner zweeg, zuchtte Eline. „Het kan ook niet anders. Wij kunnen simpel vaststellen dat Rob bij ons hoort, zonder rekening te houden met wat in het verleden is gebeurd, maar er is ook nog een andere kant. En Rob ziet de rol van Vincent als min, laf en verkeerd. Maar als hij ouder wordt en zich er meer in heeft verdiept, denkt er hij waarschijnlijk anders over."

9

Vijf jaren waren voorbijgegaan.
Eline had ze gekoesterd, omdat het jaren waren van warmte en harmonie in hun gezin. Het was een fijn, hecht gezin, ze hoorden bij elkaar, ze hadden belangstelling en zorg voor elkaar. Het was ook een vrolijk gezin. Er werd veel gelachen, veel verhalen verteld. Kleine, onbelangrijke strubbelingen, want die kwamen natuurlijk ook voor, werden op rustige wijze opgelost. De kinderen waren als de meeste kinderen: vaak lief, soms eigenwijs en drammerig. Maar Werner en zij keken daar doorheen. Werner had eens gezegd: „Ze zijn nu nog van ons," en dat was een waarheid die ook Eline scherp voelde.

Twee weken voor Robberts achttiende verjaardag zei Werner 's avonds na de maaltijd: „Jongelui, mama en ik willen dat jullie vrijdagavond allebei thuis zijn."

In Robberts donkere ogen kwam een vreemde glans. In zijn hoofd flitste even: Nu gaat het gebeuren. Nog een paar weken, dan werd hij achttien. Zijn ouders beloofden hem vijf jaar geleden dan de hele waarheid over wat zich in zijn verleden had afgespeeld, te vertellen.

Yvonnes ogen gleden van de één naar de ander. Nu kwam het! Ze had erover gefantaseerd. Wat was er met Rob aan de hand? Wie was zijn biologische vader? Vast een man met donkere ogen, een buitenlander waarschijnlijk. Maar de huidskleur van Robbert was blank.

„Nick, John en ik hadden het plan," begon Robbert op een lacherig toontje, „om vrijdagavond in de garage bij John een feestje te bouwen. Maar als je ouders aankondigen dat ze je iets willen zeggen, is dat zo bijzonder dat ik daarvoor thuis zal blijven."

„Ja," haakte Yvonne erop in, „onze ouders zeggen nooit zo

plechtig iets tegen ons, deze avond moeten we benutten. Ik ben ook thuis."

„Goed." Werner ging niet op hun woorden in. „Het is dus afgesproken. Vrijdagavond."

Eline knikte instemmend. Ze had een vreemd gevoel. Ze wist wat er ging komen, van hen vieren was zij de enige die de geschiedenis door en door kende, maar waarschijnlijk juist daardoor zou het voor haar vrijdagavond zo moeilijk zijn. Haar grote geheim dat ze voor haar kind als geheim wilde bewaren, kwam open en bloot op tafel. De naam van de vader zou genoemd worden. De naam die ze toen, bijna negentien jaar geleden, alleen zacht fluisterend had uitgesproken, hardop worden gezegd. Werner kende de naam en hij begreep de achtergrond, maar de kinderen zouden er verbaasd op reageren, vooral Robbert. De jongen zou veel vragen hebben en zij moest die vragen beantwoorden.

Opeens was het beeld terug van de avond waarop ze gehaast en huilend met de baby in haar armen in Rodeveld na een heftige ruzie met haar ouders in de auto van Werner gestapt was. Het was een vlucht, ze had sterk het gevoel gehad alles wat gebeurd was daar achter te laten. De pijn, de teleurstelling en de herinnering. Ze ging met Werner mee, een nieuw leven tegemoet. Zo had ze het gevoeld. Ze was los, ze was vrij. Ze had niet gedacht dat ze niet kon loskomen van de geschiedenis en nu, deze avond, pratende stemmen van man en kinderen om haar heen, de baby van toen was nu een bijna volwassen jongen en ze zou hem vanavond de naam van zijn biologische vader noemen.

Met Werner was afgesproken dat zij zou beginnen. Als het haar te moeilijk werd, nam hij het over. Ze had bij de drogist tabletten gekocht die haar rustiger zouden moeten maken, maar tot nu toe, ze had er al drie ingenomen, trilde en beefde haar hele lichaam.

„Jullie kennen allebei het eerste deel van de geschiedenis en de wens van papa en mij om samen met jullie een normaal leven te leiden. Maar dat bleek onmogelijk omdat Robberts biologische vader zijn zoon vanaf een afstand, vanuit zijn eigen gezin, wilde volgen. Hij en ik hebben de afspraak gemaakt dat hij ons in elk geval gedurende de kinderjaren van Robbert met rust zou laten. Dat is ook gebeurd."

Robbert knikte. Ja, dat was ook gebeurd. Hij had tot zijn dertiende nooit iets gehoord.

„Ik zal de naam noemen van de jongen waarop ik destijds verliefd werd, de jongen die me zwanger maakte, maar me in de steek liet. Die jongen is intussen een man geworden zoals ik een vrouw ben geworden. Hij weet wat er is gebeurd, hij weet van jouw bestaan en hij wil je ontmoeten. Hij is je biologische vader. Papa en ik vinden dat hij het recht heeft je te leren kennen. De naam van die man is Vincent Palensteyn."

Robbert schoot overeind op zijn stoel. Zijn ogen werden zo mogelijk nog donkerder dan ze al waren; hij staarde Eline een moment in verbijstering aan en riep toen: „Mam, wat zeg je nou?! Palensteyn? Van de houthandel in Koperwille? Ik ken dat bedrijf wel, maar natuurlijk alleen van de buitenkant. Ik ben meerdere malen met de jongens aan het Holgendiep geweest! De vader van Joris heeft aan de steiger van De Veerman een boot liggen! Daar zijn we van de zomer het water mee op gegaan. Palensteyn... Het is een groot bedrijf en is die Vincent er de eigenaar van? En de dolle vent die me belde toen ik dertien was, is dat zijn vader? Zijn vader en zoon de eigenaren? Nou, nou, dit is toch groot nieuws!"

Eline hield haar handen in haar schoot in elkaar gevlochten. Ze keek naar de jongen, ze hoorde zijn opgewonden stem, maar ze zei niets. Ze zat stil en keek naar hem.

Werner en zij hadden afgesproken hem in zijn eerste reactie

niet te onderbreken. Er kwam veel over hem heen dat de kans moest krijgen een weg te zoeken.

„Maar ik heet geen Palensteyn! Ik heet Hofstra. Ik heb niets met die zaak te maken, ik bedoel wettelijk niet, financieel niet."

„Dat is ook zo," beaamde Werner. „Jij hebt op papier geen binding met de Palensteyns, maar gevoelsmatig wel. Want hoe dan ook je bent de zoon van Vincent Palensteyn. Dat weet hij. En omdat hij dat weet, wil hij contact met je."

Robbert legde zijn handen voor zich op de tafel, de vingers wijd uitgespreid. Hij zuchtte: „Goeiedag, wat gebeurt hier vanavond. En wat wil die man nu? Kennen jullie achtergronden van hem? En het bedrijf, weten jullie daar iets van? Mama heeft destijds over die zaterdagmiddag in zijn flat verteld. Zij zei toen dat er problemen in het bedrijf waren. Want daarom, ja, daarom trouwde hij met een ander meisje.

Ik weet niet hoe ik hierover moet denken! Ik ben heel zenuwachtig, maar ik geloof niet dat dat abnormaal is! Ik heb natuurlijk wel eens nagedacht over wie mijn echte vader zou zijn, maar met alleen de naam Pieter kwam ik niet ver. Maar Palensteyn!

Ik had wel begrepen dat het om een flink bedrijf moest gaan. Het dreigde allemaal verkeerd te gaan, maar er kwam een man die kans zag de hele toestand weer op de rails te krijgen! Ik begrijp dat dat inderdaad gebeurd is." Hij keek van zijn vader naar zijn moeder en toen beiden knikten, vroeg hij: „Zit die man nog in het bedrijf? Weten jullie daar iets van? Ik weet zeker dat jullie ervan op de hoogte zijn."

„We weten weinig van het reilen en zeilen van het bedrijf Palensteyn omdat we het liefst los van de familie wilden leven. Maar we weten dat die man Willem Zandbergen heet. Hij en zijn vrouw, dat heb ik toen verteld, stortten veel geld in het bedrijf en Willem heeft de leiding in handen genomen.

Vincent was daar nog te jong voor, hij was net afgestudeerd en had geen ervaring. Vincent is toen met de dochter van deze Willem getrouwd."

„Ja, nu weet ik het weer! Toen jij van die plannen hoorde, dacht je: Ik zeg niets over mijn baby. Vincent heeft andere plannen dan trouwen met mij."

„Zo was het." Eline kon erbij glimlachen.

„De schoonouders, ja, ja. Maar het was dus wel zo dat het bedrijf erdoor gered is. Alles bleef in de familie." Robbert lachte cynisch. „Wat een vreemde avond is dit. Stel dat het tot die fatale zaterdag wel goed was gegaan met dat bedrijf, dan was mama waarschijnlijk met Vincent getrouwd en lag voor mij de baan van directeur van de houthandel open! Maar de nuchtere waarheid is dat het niet goed ging omdat de directeur het toen niet aankon. Dat was dus de vader van Vincent! De oude baas die mij belde! Ik begrijp dat nu wel," Robbert lachte, „mensen die dergelijke domme dingen doen, kunnen zo'n groot bedrijf niet draaiende houden! Is het van oorsprong een palenhandel of heb ik dat mis?"

„Dat weet ik niet," antwoordde Werner hem. „Mogelijk handelde de oprichter in palen en planken. Als het maar geld opleverde."

Er werd nog lang gepraat.

Werner bracht de vuile koffiekopjes naar de keuken. Yvonne pakte glazen uit de kast, Werner haalde frisdrank, bier en wijn uit de kelder.

„Jongens," waarschuwde Eline, „ik heb het gevoel dat dit een lange avond wordt, rustig aan dus met bier en wijn. Hou je hoofd erbij, anders krijgen we de zotste verhalen."

Toen ze alle vier weer om de tafel zaten, vroeg Robbert: „Wat gaat er nu gebeuren?"

Werner antwoordde op die vraag: „Er is al even over gesproken, maar door alle verhalen is het waarschijnlijk weggezakt, dus ik zeg het nog maar eens. Vijf jaar geleden, na het telefoontje van de grootvader, heeft mama via de telefoon met Vincent afgesproken dat er in de volgende vijf jaren geen contact zou zijn. Je was nog te jong. Wij wilden dat niet en Vincent had begrip voor onze zienswijze.

Nu is het zo dat Vincent een dezer dagen kan bellen om het voorstel te doen jou te ontmoeten. Wij hebben deze avond, twee weken voor je verjaardag, uitgekozen om jou een en ander te vertellen. Als jij, na goed nadenken, geen contact wil met Vincent Palensteyn..."

Robbert zwaaide met zijn hand boven de volle glazen. „Waarom zou ik niet? Ik vind de hele toestand spannend en interessant! Het is allemaal zo onwerkelijk! Wie had deze ontknoping kunnen voorspellen?! Ik niet!" Hij lachte naar zijn ouders. „Maar voor mij ben jij gewoon nog mijn vader en dat zal ook zo blijven. Maar een biologische vader die belangstelling voor me heeft, is toch interessant? Vooral als hij zo'n groot bedrijf heeft! Jullie vinden het toch wel goed dat ik hem ontmoet? Als jullie het niet hadden gewild had mama dat tegen hem gezegd. Maar ze zei het niet."

„Hij is je biologische vader." Ze veranderde van toon en voegde aan haar woorden toe: „In de komende weken zal ons leven volkomen veranderen." Robbert hoorde een verdrietige klank in haar stem.

Yvonne riep: „Ja, Rob stort zich helemaal in dat bedrijf Palensteyn! Hij ziet zijn naam al bijgeschilderd op het bord boven de poort: Palensteyn en Hofstra!! Want je heet nu eenmaal geen Palensteyn!"

„Dat weet Vincent Palensteyn al heel lang, maar hoe dan ook ik ben zijn zoon. En dat is voor hem het belangrijkste."

Een week na Robberts verjaardag belde Vincent. Eline verwachtte het telefoontje van hem, maar niet op dit tijdstip van

de dag. Maar Vincent wilde Eline zelf spreken en belde daarom overdag.
„Met Vincent," opende hij het gesprek, en op een voor haar gevoel vreemde toon en op een vreemde manier voegde hij eraan toe: „Hoe wil je dat ik het verder aanpak?"
„Hoe ik het wil? Je weet dat ik liever heb dat je geen contact met Rob zoekt. Het plan gaat van jou uit. Je regelt het maar."
„Je hebt de jongen alles verteld."
„Er was geen andere mogelijkheid. Nu hij achttien is, hoort hij zijn levensverhaal te kennen. Hij moet zelf beslissen wat hij met een en ander wil doen. Maar op dit moment, begrijpelijk, weet hij niet wat ermee aan te vangen."
„Dat snap ik heel goed." Daarna ging hij snel verder: „Ik wil een ontmoeting met hem regelen. Ik wil hem zien, zijn stem horen en met hem praten."
„Als je vanmiddag na vijf uur belt is hij thuis."
„Eline, je bent zo kort! Je begrijpt toch wel hoe belangrijk het voor mij is hem te ontmoeten? Tegenover mijn zoon te staan?"
„Daarin verdiep ik me niet. Ik ben met Werner getrouwd, ik hou van hem en weet dat hij dit allemaal niet prettig vindt."
„Maar je denkt toch ook aan de toekomst van de jongen? De grote kans die op hem wacht? Een plek in het bedrijf?"
„Binnenkort gaat Rob naar de universiteit. Zeker vijf, mogelijk zes jaar studie heeft hij dan nog voor de boeg."
„Hij heeft voor bedrijfseconomie gekozen? Dat is in elk geval de goede richting."
„Het werk van Werner trekt hem aan: leningen, de aandelenhandel, het bankwezen."
„Nou ja, dat komt allemaal later aan de orde." Er volgde even een stilte, toen zei Vincent, en zijn stem klonk somber: „Ik weet nog niet waar Rob te ontmoeten."
Eline voelde zich opeens een beetje rebels, er kwam een

lichte woede in haar boven, maar er was geen echte reden om boos te zijn op Vincent, ze zei: „Neem hem mee naar Huis Palensteyn in Oplande. Je ouders willen hem graag zien. Je vader in elk geval."

„Ik bepaal zelf de plek wel. Ik bel na vijf uur," en Vincent verbrak de verbinding.

Eline liep naar de keuken en schonk zichzelf een kopje koffie in. Ze knipte het apparaat uit en liep met het kopje in de hand naar de kamer.

Ze besefte: het is het gevoel van onrust in mij dat me zo kort maakte tegen Vincent. Niet in de eerste plaats om wat gaat gebeuren; er zullen grote veranderingen plaatsvinden in ons leven nu Robbert in contact komt met Vincent, met de families Palensteyn en Zandbergen, dat kunnen we niet voorkomen. Maar het is voor mij vooral de angst hem kwijt te raken. Hij blijft hier wonen, dat is het plan. Maar hij wordt binnengehaald in een ander leven. Alles groter en duurder en anders en mooier dan hier. Vincent zal hem veel mogelijkheden in het vooruitzicht stellen.

Hoe zal Charlotte de komst van Robbert in haar leven ervaren? Ach, het zal langzaam, bijna sluipend gaan. En waarschijnlijk geeft Charlotte Robbert een plaatsje, gunt ze hem een plaatsje, als de jonge vrouw die zo modern kan denken. De zoon van mijn man hoort toch bij ons. Als Charlottes leven maar kan blijven draaien om haar gezin en het Waterlandmuseum. Naar buiten toe zal ze begrip willen tonen voor de gevoelens van Vincent. Het is tenslotte zijn kind. En de herinnering aan hun gesprek in De Madelief zou er wat genegenheid aan toevoegen. Als Robs komst haar leven niet noemenswaardig beïnvloedde, kon Charlotte hem dulden.

In het begin van de avond maakten Vincent en Robbert de afspraak elkaar de volgende middag te ontmoeten in het chique restaurant Huis Holland in Walkenaar.

„Nou," kwam Rob na het telefoontje nerveus lachend terug naar de zithoek, „in Huis Holland zullen in elk geval geen vrienden van mij zijn! Jullie snappen wel dat ik vreselijk gespannen ben. Na die vrijdagavond houdt vooral de vraag: wie is mijn vader me bezig. Morgen zal ik hem zien en hem horen praten. Niet mijn eigen vader, dat ben jij, pap! Wat zal deze vader zeggen? Ik heb geen idee hoe het gesprek gaat verlopen. Wat zal hij allemaal gaan vragen?"

Robbert maakte zijn zin af: „En wat kan ik aan hem vragen? Weet je, aan de ene kant vind ik het hele gebeuren spannend, want wie overkomt zoiets, je biologische vader ontmoeten? Miljoenen kinderen kennen hun biologische vader hun leven lang al. Ik niet. En hoe sta je dan tegenover elkaar? Maar ik ben wel nieuwsgierig naar hem."

„Het was zoals je voorspelde, mam, aan de ene kant een direct herkennen, maar aan de andere kant zag ik hem als een totaal vreemde man, want dat is hij toch voor mij. Het zal voor hem hetzelfde geweest zijn. Daar staat dan een jongen in een spijkerbroek en een jack en dat is een kind van je. Het gesprek kwam moeilijk op gang.

Hij wilde uitgebreid over mijn verdere studieplannen weten." Er klonk teleurstelling door in zijn stem. Eline vroeg zich af hoe de jongen zich deze ontmoeting had voorgesteld.

„Hij vroeg niets over mijn persoonlijke leven, maar hij weet natuurlijk hoe ons gezin in elkaar steekt. Hij vertelde wel uitgebreid over het bedrijf en zei dat hij voor de toekomst grote plannen met me heeft om me in het bedrijf op te nemen. Hij zei ook dat ik een zoon van hem ben en dat ik dus Palensteyn-eigenschappen moet hebben. Dat kan niet anders. Eén Palensteyn-eigenschap is doorzettingsvermogen. Als voorbeeld noemde hij zijn grootvader, de man die met het bedrijf is begonnen. Maar, dacht ik, toen was het nog een zaak in het beginstadium. Dat kon hij nog wel aan. Zijn vader kon het snelgroeiende bedrijf niet aan en in hoeverre die vader nu nog een stevige vinger in de pap heeft, weet ik niet. Het viel me wel op dat Vincent de naam Zandbergen maar één keer heeft genoemd."

„Hij zwaaide zijn medevennoot niet alle lof toe," merkte Werner op.

„Nee." Rob zweeg even en ook de anderen zeiden geen woord.

Daarna ging hij verder: „De ontmoeting en het gesprek met mijn biologische vader zijn me eerlijk gezegd tegengevallen. Ik had verwacht iets van blijheid in hem te zien. En dat het gesprek, vooral in het begin, meer over mij zou gaan. Niet omdat ik de belangrijkste van de twee zou zijn, dat zeker niet, maar het is toch zo dat hij mama jarenlang heeft gezegd dat hij zijn zoon vreselijk graag wilde ontmoeten. En nu het zover was, vroeg hij niet naar mijn leven, mijn vrienden, welke hobby's ik heb, welke sport ik leuk vind. Nee, hij praatte over wat ik later in het bedrijf zou kunnen doen. Ik moet, voor ik naar de universiteit ga, voor mezelf bepalen voor welke afdeling in het bedrijf ik het meest geschikt ben. Niet wat ik leuk vind, wat me aantrekt, maar waarvoor ik geschikt ben. De administratie, het werk regelen in de loods en op de werf, de verkoop of de inkoop..."

Eline keek hem verbaasd aan. „Jongen toch, wat raar! Dat vind ik helemaal niets voor Vincent!"

„Hij is van de vrolijke student geworden tot een man van rond de veertig. Het zakenleven heeft hem hard gemaakt. Steeds bezig moeten zijn met het oplossen van problemen, geld..." Werner zei het op ernstige toon.

Eline reageerde daarop: „Ik wil Vincent niet verdedigen, maar ik ben ervan overtuigd dat hij het deze middag heel moeilijk heeft gevonden zijn emoties in de hand te houden.

Om die gevoelens zo min mogelijk te tonen, nam hij een houding aan die hem in jouw ogen koel maakte."

„Dat is mogelijk." Robbert haalde zijn schouders op. „Maar echt sympathiek kwam hij niet over."

„Zijn er afspraken gemaakt? Hoe gaat het nu verder?"

„We zullen elkaar gauw weer zien en dan praten we verder. Maar," Rob wilde zijn gedachten juist verwoorden, „ik ben nog wel jong, maar soms heb ik het gevoel te weten wat mensen denken door goed naar ze te kijken. Ik denk dat Vincent Palensteyn vanaf de dag waarop hij wist dat er een kind van hem op deze aardbodem ronddribbelde, het verlangen heeft gekoesterd dat kind te kennen. Maar het was meer het verlangen koesteren dan het kind willen zien. Zijn plannen voor later, die hij om het jongetje heen weefde, speelden ook mee. Ik leg het waarschijnlijk niet goed uit, maar ik hoop dat jullie het aanvoelen zoals ik. En als dan de tijd van de waarheid is aangebroken, zoals nu, valt de droom tegen."

„Ik raad je aan een andere studierichting te kiezen," merkte Eline op en in haar stem klonk lichte boosheid, „keus genoeg."

„Maar," Werner keek naar Robbert, hij wilde de draad van het verslag van de jongen weer opnemen, „wat zijn de plannen?"

„We zullen elkaar vanaf nu regelmatig ontmoeten en elkaar beter leren kennen. Met dit soort stijve woorden zei hij het. Maar voor de grote plannen die Vincent in zijn hoofd heeft, is het nog veel te vroeg. Ik moet nog door mijn studiejaren heen. Hij kan nog niets met me."

Eline stond op. „Het was beter geweest als hij je ook de komende vijf jaren met rust had gelaten. Hij wist dat je pas achttien was." Ze liep naar de keuken en dronk daar een glas koud water leeg.

In de nacht, het wekkertje wees aan dat het halfdrie was, lag ze wakker onder het warme dekbed. Ze vroeg zich af waarom ze zich zo down voelde, eigenlijk was het gewoon zich ongelukkig voelen. Was het omdat Vincent – dat bleek toch uit het verslag van Rob – geen echte liefde toonde voor hun zoon?

Ze bleef bij die gedachte hangen. Kon Vincent liefde voor Rob voelen terwijl hij hem niet kende? Het was eigenlijk onmogelijk liefde te voelen voor iemand die je niet kende, ook al was het je kind. Mogelijk daarom had Vincent het plan gesmeed met zijn zoon kennis te maken zodra hij daar de kans toe kreeg. Achttien jaar, nog veel te jong voor de plannen voor later, maar wel een kans hem te zien, met hem te praten over zijn leven, boottochtjes maken en wandelingen. Mogelijk was het Vincents plan Rob langzaam zijn familie binnen te voeren, kennis te laten maken met zijn ouders, Charlotte, Willem en Louise Zandbergen. Hij kwam nu met toekomstplannen omdat de andere gevoelens voor hem niet realistisch waren. Hij voelde ze nog niet. En Vincent kon niet tegen een jongen die hij niet kende, zeggen: Ik hou zoveel van jou.

Ze viel, na hiermee lang in gedachten bezig te zijn geweest, toch nog in slaap. Dit te denken bracht haar een beetje rust, als het gegaan was zoals ze dacht, begreep ze hoe Vincent het voelde. De stilte in de slaapkamer en de duisternis om haar heen, hadden begrip voor hem gebracht.

In de maanden die volgden ontmoetten Vincent en Robbert elkaar gemiddeld om de twee, drie weken. In de vrije dagen na het eindexamen stapten ze meerdere middagen aan boord van de mooie zeilboot die Vincent bij de jachtwerf van Hannes van der Pal had liggen. Zeilen over het meer en na afloop praten op het terras van het paviljoen aan het water.

Ze waren in die tijd, zoals Rob het met een lachje aan zijn moeder vertelde, nader tot elkaar gekomen. „Toen ik hem nog maar kort kende vond ik hem niet bepaald sympathiek. Ik zag niet de aardige vent in hem waarop jij dolverliefd werd. Maar het wordt langzaamaan beter. Ik blijf echter in mijn achterhoofd het gevoel houden dat er iets is wat hem tegenhoudt helemaal open tegen mij te zijn. Hij babbelt honderduit over het bedrijf en dat begrijp ik wel, het werk beheerst zijn leven. En hij vertelt regelmatig over alles wat zijn vrouw doet. Hij is trots op haar. Het succes van de mooie kamer in het museum en de speciale exposities, zijn voor een groot deel het werk van Charlotte! Volgens Vincent tenminste. Ik luister naar verhalen over het doen en laten van Loekie en Hedda, voor mij totaal onbekende meisjes, maar zo te horen zijn het wonderkinderen. Ze zijn zo goed bij de tijd en zo slim!

Hij vertelt nu en dan ook over zijn ouders, maar, mam, hij stelt nooit voor met mij naar hen toe te gaan. Dat is toch vreemd? Hoe lang hebben hij en ik nu al contact met elkaar? Hij weet toch hoe graag vooral zijn vader mij wil zien? Ik heb erover nagedacht en ik ben ervan overtuigd dat hij mij wel in zijn omgeving wil hebben, maar hij houdt me bewust weg bij alle mensen die in zijn leven een rol spelen!"

Robbert ging luider praten en er kwam heftige verontwaardiging in zijn stem: „Weet je dat me dat helemaal niet zint? We zeilen, we drinken hier en daar een biertje maar dat is alles, daar blijft het bij."

Eline dacht snel na over hoe ze hierop moest reageren, en na even aarzelen zei ze: „Je kunt hem zeggen hoe jij erover denkt. Dan laat je in elk geval merken dat je in de gaten hebt dat hij je min of meer verstopt. Als je zijn antwoord weet, kun je beslissen of er iets redelijks in zijn uitleg zit of dat je het absoluut niet met hem eens bent. Ook is belangrijk," ze keek hem recht aan, „of jij in de toekomst zijn spel mee wilt spelen."

De volgende afspraak was drie weken later in de vooravond

van een prachtige zomerdag aan het einde van augustus. Ze zouden een boottochtje met De Wervelwind gaan maken. De zon scheen, er kabbelden golfjes op het grote meer, er was weinig wind, het was heerlijk over het water te glijden.

Toen Robbert op de steiger stapte, kwam Vincent de kajuit uit. De begroeting was hartelijk. „Hallo, jongen, fijn dat je er bent! Ik verheug me er elke keer weer op jou te zien! Ga zitten."

De boot werd losgemaakt en voer richting het wijde water.

Vincent begon een verhaal over een bijna ongeluk in loods twee. Hij omschreef de omstandigheden en legde de nadruk op het feit dat het een heel ernstig ongeluk had kunnen zijn. Rob luisterde en knikte. Ja, het had heel droevig kunnen aflopen.

Na het verhaal zweeg Vincent even. Hij verwachtte dat Robbert er een vraag over zou stellen, maar Robbert had sinds het gesprek met zijn moeder een heel andere vraag voor Vincent Palensteyn in gedachten.

Hij legde de vraag rechtstreeks en totaal onverwachts aan hem voor: „Wanneer ga ik mijn grootouders ontmoeten? Wij kennen elkaar nu een aantal maanden. Het wordt tijd een stap verder te zetten. En ik weet dat in elk geval mijn grootvader nieuwsgierig naar mij is."

„Ik wil dat heel graag. Ik wil ze mijn zoon laten zien. Ze zullen je bewonderen, want je bent een echte Palensteyn. Maar ik weet zeker dat mijn vader de morgen na de ontmoeting op Willem Zandbergen afstapt om hem te vertellen dat moeder en hij met de zoon van Vincent hebben kennisgemaakt! Vader zal over je jubelen; zo knap, zo verstandig en om te zien een echte Palensteyn!

Charlotte en haar ouders hoorden over jouw bestaan toen je negen was. Ik wist vanaf je derde jaar van jou. Ik heb dus zes jaar een groot geheim met me meegedragen. Een buitenechtelijk kind hebben en dat verzwijgen, vooral tegenover je vrouw, is inderdaad een belangrijke waarheid achterhouden. Ik droeg het zonder erover te vertellen met me mee. Ik verzweeg het gewoon." Vincent keek Rob recht aan en hij voegde eraan toe: „Willem denkt dat ik de gedachte aan jou heb gekoesterd. En, jongen," Vincent schudde zijn hoofd, Robbert keek naar hem, het was alsof de man sinds die laatste woorden opeens ouder was geworden. Dat kon natuurlijk niet, maar zijn houding straalde plotseling grote moedeloosheid uit. Hij zat ineengedoken op de bank in de boot en Rob had het gevoel dat hij niet wist hoe verder te gaan. Hij wilde aandringen, dit was wel een geschikt moment dieper op alles in te gaan. Hij dacht: Vader Vincent is er aan toe meer te vertellen.

Vincent ging rechterop zitten op het donkerrode kussen. Hij keek Robbert aan. De jongen kon de uitdrukking op het gezicht tegenover hem niet thuisbrengen. Was het angst, onzekerheid of twijfel, misschien ook onrust over hoe het gesprek verder kon verlopen? Welke kant ging het uit en wilde hij die kant juist of niet?

„Ik begrijp jouw gedachten heel goed. Ik had me het vervolg van onze ontmoeting ook anders voorgesteld. Het zit moeilijker in elkaar dan ik je deze avond kan vertellen.

Ik heb Charlotte gezegd dat ik naar een receptie in Walkenaar moest om zakelijke belangstelling te tonen, mijn gezicht te laten zien. Als je dat niet doet mist men je. En goede relaties zijn belangrijk in het zakenleven." Vincent zweeg na deze woorden enige minuten. Rob vond het lang duren, maar hij kon niet anders dan afwachten.

„De enige mogelijkheid lijkt me om jou over mijn leven te vertellen. Ik zal proberen het kort te houden, alle niet echt belangrijke details onbesproken te laten, maar soms zal het niet mogelijk zijn ze over te slaan als ik jou een beeld van mijn leven wil schetsen. Ik hoop dat je wilt weten wat achter me ligt en wat je vader bezighoudt."

Rob lachte. „Als ik hierop antwoord dat ik niet wil weten wat er zoal in uw leven is gebeurd, gelooft u me dan? U bent in mij geïnteresseerd omdat ik uw zoon ben en ik ben in u geïnteresseerd omdat u mijn vader bent."

„Het zal duidelijkheid en begrip tussen ons brengen. Zoals het nu tussen ons gaat, is het contact goed. Ik ben blij je te zien, je dicht bij me te hebben. Hier heb ik jarenlang naar verlangd, maar ik begrijp dat jij meer wilt. Zoals je gezegd hebt: je grootouders ontmoeten. En als ik over het bedrijf praat, voel ik dat jij daar graag een kijkje wilt nemen. Het is tenslotte houthandel Palensteyn en als het tussen Eline en mij was gegaan zoals het had moeten gaan, waren het terrein en de kantoren een vertrouwde omgeving voor je geweest.

Ik wil je over alles wat in mijn leven is gebeurd, vertellen, daarna ken je me, dan weet je wie je echte vader is.

Maar we kunnen dit niet in een uurtje op een terrasje afhandelen met pratende en meeluisterende mensen om ons heen. We moeten er een middag voor afspreken. Zeg jij maar welke middag je ervoor kunt en wilt uitkiezen. We spreken een tijd af waarop ik jou oppik op het stationsplein van Borgerkarspel. We rijden daarna naar restaurant De Witte Raaf in de bossen rond Stavenlande. Het is een restaurant waar ik nu en dan belangrijke besprekingen voer met relaties. Het is een prettige locatie voor een goed gesprek."

De afspraak werd gemaakt voor de volgende zaterdag.

's Avonds, weer thuis, vertelde Rob: „Ik vroeg Vincent wanneer hij me meeneemt naar zijn ouders. Hij zei dat die ontmoeting nog niet kan plaatsvinden. Hij wil me eerst meer over zijn leven vertellen. Uit dat gesprek zal dan wel duidelijk worden waarom ik nu nog niet kan kennismaken met de rest van de familie."

„Jij hebt ermee ingestemd naar zijn verhaal te luisteren?" vroeg Werner.

„Ja. Ik zit nu eenmaal in dit schuitje, en wil nu het verhaal ook van zijn kant horen."

„Vincent kan met niets anders komen dan het verhaal wat ik je verteld heb," kwam Eline en haar stem klonk een beetje boos, „dat deel van de geschiedenis is oude kost voor je. Maar wie weet wat hij over zijn leven na de bewuste zaterdag vertelt."

Vincent Palensteyn reed in een grote, donkere Volvo. Rob stapte in. Ze begroetten elkaar, beiden nerveus over wat de komende uren zouden brengen.

Restaurant De Witte Raaf was een klein restaurant verscholen in de bossen van Stavenlande. Het was er rustig. Twee oudere mensen zaten voor een van de brede ramen aan de voorzijde en genoten van een heerlijk diner.

Vincent koos een tafel voor het zijraam. Nadat de ober koffie had gebracht, begon hij te praten.

„Ik weet niet of je moeder de geschiedenis van ons bedrijf heeft verteld," opende Vincent het gesprek. Hij zweeg na die woorden en keek Rob aan.

„Ze heeft wel iets verteld, maar heel summier."

„Ik zal het ook zo kort mogelijk houden. Maar het is nodig de achtergrond te kennen. Mijn grootvader begon als jochie met het verkopen van planken aan mensen van het dorp die iets rond of in hun huis moesten repareren, en palen aan boeren die er, met schrikdraad, hun land mee afbakenden. Zijn verhaal is een beetje het verhaal van de Amerikaanse krantenjongen die directeur van een groot concern werd. Hij zocht een meisje uit om mee te trouwen dat wilde meewerken in zijn bedrijfje. Mijn grootmoeder was zuinig, ze paste heel goed op het geld. Het bedrijfje groeide snel. Toen ik werd geboren woonden mijn grootouders in Huis Palensteyn; dat huis was hun grote trots.

Ik was het enig kind van mijn ouders. Ik was in mijn kinderjaren een eenzaam jongetje. De kinderen uit het dorp kwamen niet op hun fietsjes naar ons huis. Ze waren, denk ik achteraf, ook bang dat ze zich er niet thuis zouden voelen. En ze hadden in de dorpsstraat genoeg vriendjes; waarom zouden ze Vincent opzoeken? Bovendien had mijn moeder de boerenjochies liever niet over de vloer.

Mijn vader moest al zijn tijd en aandacht inzetten om het bedrijf op de rails te houden. Hij was weinig thuis en hing op zondagmiddag slapend en dikwijls snurkend in zijn stoel. Mijn moeder had in het begin het gevoel goed getrouwd te zijn. Haar man was tenslotte de eigenaar van een flink bedrijf. Ze wilde meer zijn dan de eenvoudige vrouwen in onze omgeving en dat was ze voor haar gevoel ook. Mijn vader was bij vlagen een driftige, onredelijke man. Achteraf weet ik dat de taak die hem door zijn vader op de schouders was gelegd, te zwaar voor hem was. Maar dat wist ik toen niet. Ik vluchtte dikwijls naar mijn eigen kamer en daar was ik stilletjes bang en heel alleen. Mijn moeder was op den duur teleurgesteld in haar man, want hij had weinig aandacht voor haar.

Mijn leven veranderde toen ik na de middelbare school naar Walkenaar ging. Daar maakte ik kennis met het studentenleven en ik genoot vooral van de grote vrijheid die opeens voor me lag. Mijn ouders kochten een flat voor me, omdat heen en weer reizen van Oplande naar Walkenaar veel tijd kostte, tijd die ik aan mijn studie moest besteden. Ik voelde me thuis in Walkenaar. Vrienden en vriendinnen kwamen graag naar de flat, er ging een nieuwe wereld voor me open. Ik had zoveel vrijheid, ik kon dingen doen en laten zonder voortdurend door mijn ouders gevolgd en op de vingers gekeken te worden.

In die eerste jaren op de universiteit wist ik weinig van wat zich rondom het bedrijf afspeelde. Ik dacht, als ik er al over dacht: mijn vader is de eigenaar, hij weet hoe het moet. En mijn vader praatte nooit over alles wat mis ging aan het Holgendiep. Het was vechten tegen de bierkaai, zoals de mannen op de werf het noemden.

In die tijd kwam Eline in mijn leven. Ik zag haar toen ik op een avond op station Hengeveld uit de trein stapte. Ze liep voor me op het perron, ze draaide haar hoofd om om iets tegen een kennisje te zeggen. Ik zag haar gezicht, vriendelijk en lachend, het blonde haar dat om haar hoofd danste, de rechte rug bij de lichte stappen en jongen, het is bijna niet te geloven, maar op dat moment wist ik dat zij mijn verdere leven zou beheersen.

Ik liep achter haar aan naar de uitgang, ze ging naar het busstation en ze stapte, ik was daar erg blij mee, in de bus die langs Opland zou rijden waar ik moest uitstappen. Ik ging naast haar zitten. De rit duurde iets langer dan tien minuten. In die tien minuten gaf ze mij op een speelse wijze een hint waar ik haar de komende week kon vinden.

Ik weet niet of ze het met opzet deed omdat ook zij de vonk tussen ons voelde, maar ik ben die vrijdagavond naar het café in Rodeveld gereden om haar weer te zien."

Vincent zweeg even, hij keek Rob aan en vroeg toen: „Heb jij een meisje, een vriendinnetje? Ben je verliefd? Misschien niet, je bent nog jong."

„Er is wel een meisje dat ik aardig vind. Wat dat betreft kan ik wat u vertelt, begrijpen. Er zijn veel leuke meisjes, maar juist die ene heeft iets wat je aantrekt, wat je opvalt. Voor mij is dat Guusje."

„Voor mij was het Eline. Er was iets tussen ons, in elk geval voor mij. Het was het zeker weten dat zij de enige was waarmee ik gelukkig zou worden. We hebben een heerlijke tijd gehad samen. We zagen elkaar na die avond vaak, we praatten veel, ook over de toekomst, die we hand in hand zouden binnengaan.

Maar nog voor het grote geluk voor mij werkelijkheid kon worden kwam de vreselijke middag waarop mijn moeder de ramp die het bedrijf getroffen had, over me heen stortte. Dat is er het enige juiste woord voor. Het stortte over me heen. Ik werd erdoor overvallen, ik werd eronder bedolven. Moeder praatte maar door over de hoge schulden, de vele aanmaningen, de dreigementen, het verlies in aanzien... Ik liet het over me heen komen, kon het niet begrijpen, en wist niet wat er ging gebeuren, maar ik wist wel dat het heel vreselijk zou zijn.

Maar toen, nadat mijn moeder een poos gezwegen had, kwam er een andere klank in haar stem. Ik luisterde weer naar haar woorden en vroeg me verbaasd af: Wat zegt ze nou? Ze vertelde dat er een oplossing was voor alle zorgen en narigheid. Er zat natuurlijk meer aan vast dan zij in het kort kon vertellen, maar ze wilde het kort houden opdat ik het kon volgen. Ze had een ontzettend belangrijke mededeling: misschien kon de ramp afgewend worden, voorkomen worden!

Moeder praatte maar door. Ik weet nog dat ze de woorden langzamer uitsprak dan normaal omdat ze het gevoel had dat ik ze niet echt in me opnam. Ze liet haar stem dalen om mij tot luisteren te dwingen. En ik luisterde ook wel, maar in mijn hoofd gonsden alleen de woorden: Er is een oplossing, er is een oplossing. Willem en Louise Zandbergen wilden geld lenen om de belangrijkste schuldeisers te kunnen betalen. Willem gaf zijn huidige baan op om met vader het bedrijf goed aan te pakken. Willem Zandbergen was en is een voortreffelijk, handig zakenman.

Moeder vertelde over Charlotte. Charlotte was toen ze

twaalf, dertien was een beetje verliefd op me. Ja, dat wist ik wel. Een dweperige tiener die met vriendinnen lachte en giechelde over jongens. Ik vond haar ook wel aardig. Charlotte was mijn vriendinnetje, maar ze was niet meer voor mij. Ze hoorde in mijn leven als de dochter van oom Willem en tante Louise.

Moeder vertelde dat Charlotte de overtuiging had dat, als ik mijn studie had afgerond en de studententijd achter de rug was, zij en ik zouden trouwen. Ik verwachtte niet dat dat huwelijk doorgedrukt zou worden, maar het gebeurde wel. Zonder mij erbij te betrekken, werden er veel voorbereidingen voor de grote dag getroffen. Het kiezen van Charlottes trouwjurk, een verrassing voor mij, het afspreken van de datum van de huwelijksvoltrekking, daarover hoefde ik niets te weten. Natuurlijk was ik op die dag beschikbaar.

Toen het kiezen van onze toekomstige woning aan de orde kwam, Charlotte en haar moeder hadden het voorbereidende werk al gedaan, begreep ik hoever de plannen al gevorderd waren. Maar zeggen dat ik nog niet toe was aan het geven van het jawoord in stadhuis en kerk, was onmogelijk. Want dan werd alle hulpverlening stopgezet en ging Palensteyn failliet. En dat mocht niet! Het klinkt dramatisch: Eline verliezen was een groot offer, maar ik wilde proberen van mijn huwelijk en van mijn leven het beste te maken."

Vincent Palensteyn reikte naar het nog volle kopje, maar de koffie was intussen koud geworden. Hij dronk er een slokje van en schoof het van zich af.

„Ik wil dolgraag een glas wijn, liever nog iets sterkers. Nu ik jou erover vertel, speelt het hele drama zich opnieuw voor me af. Maar ik wil nu geen drank. Ik moet je nog meer vertellen."

Weer viel een stilte. Vincent schoof onrustig heen en weer op de stoel, ten slotte zei hij: „Je moeder zal over de zaterdagmiddag in de flat verteld hebben. Die middag speelde zich dus af kort nadat ik het verhaal van mijn moeder gehoord had. Voor mij dreunden in de dagen voor die zaterdag steeds de woorden in mijn kop: Als Eline komt moet ik het haar direct vertellen. Ik wil het niet en ik durf het niet, maar het moet. Ze moet het weten. Er is geen andere oplossing, alleen dit kan de houthandel redden. Ze zal het begrijpen.

Toen ze kwam draaide ik onmiddellijk het hele verhaal af. Ik weet niet meer precies hoe het is gegaan, maar het is een zwarte plek geworden. Eline heeft er wel op gereageerd, maar ik weet niet meer hoe. Ze vertelde niets over haar zwangerschap. Ze wist nu wat er ging gebeuren. Ik trouwde met Charlotte. Ik schoof haar uit mijn leven. Al mijn woorden over grote liefde, geluk en eeuwige trouw vielen weg. Ik mocht van het kind dat geboren ging worden, niet weten."

„Zo heeft mijn moeder het ook verteld."

„De maanden daarna leefde ik in een roes. Ik had het gevoel gevangen te zitten, maar ik kon er niets aan veranderen. Alles voltrok zich heel snel. Willem Zandbergen nam zijn plaats in het bedrijf in en hij pakte het resoluut en goed aan. Mijn vader had in wezen niets meer te vertellen. Hij kon ook niet veel meer zeggen. Maar hij besefte wel dat het grote gevaar van een faillissement afgewend was.

Charlotte en ik trouwden. Ik trouwde met haar om de houthandel te redden. Ik was niet verliefd op Charlotte. Zij was niet de bruid die ik naast me verlangde, maar ik mocht Charlotte wel.

Jongen, je zult je een dergelijke situatie moeilijk kunnen voorstellen. Daar is veel inlevingsvermogen voor nodig, maar het leven brengt sommige mensen af en toe in vreemde situaties. Dit kwam op mijn pad. Er was geen andere oplossing mogelijk. Maar de grote liefde opgeven, is een groot offer.

Ik kwam langzaamaan weer bij mijn positieven en alles om

me heen werd rustiger. Charlotte was ervan overtuigd dat ik door alle toestanden in het bedrijf en met mijn ouders gefrustreerd was. Ze wilde me er weer bovenop helpen. Ze was lief voor me. En ik wist: ik moet het aanvaarden. Er is geen andere weg meer. Ik dacht dikwijls aan Eline. 's Avonds in het donker van de slaapkamer vond ik het moeilijk me te realiseren dat het Charlotte was die tegen me aankroop, niet Eline. Als het Eline was geweest, zou mijn geluk volmaakt zijn.

Zo ging het leven verder. Tot de middag op het Julianaplein waarop ik haar zag met jou, een klein jongetje met een donkere krullenbol en bruine ogen; als een tot leven gebracht plaatje uit mijn fotoboek.

Die middag heeft mijn leven radicaal veranderd. Van de dappere man die ik wilde zijn om het beste van het leven te maken, was ik opeens de grote verliezer die besefte dat hij het familiebedrijf had gered en zijn ouders voor een geestelijke instorting had behoed, maar die zijn eigen levensgeluk door de vingers had laten glippen. Tot die middag probeerde ik me over de grote tegenslag heen te zetten. Het leven ging verder, Charlotte was een lieve meid, maar nadat ik jou had gezien en kort daarna met Eline had gesproken, ben ik nooit meer dezelfde Vincent Palensteyn geweest. Een man die het leven wel aankon. Ik droeg door alle vlotte en lachende woorden heen verdriet met me mee."

Vincent zweeg. Robbert wist niet wat te zeggen en zweeg ook.

Na enkele minuten tilde Vincent zijn hoofd op, keek de jongen tegenover hem aan, er gleed een trieste glimlach rond zijn mond toen hij zei: „Zullen we toch maar een biertje nemen? En een hapje bestellen? Ik voel me heel leeg."

Nadat de ober een en ander had gebracht, vertelde Vincent verder: „In de jaren na die zaterdagmiddag sudderde het leven verder. Maar er was in mij veel kapotgegaan wat niet meer geheeld kon worden. Ik wilde dat niet aanvaarden. Waar een fout wordt gemaakt, moet een mogelijkheid zijn die fout te herstellen. Toch bleek dat hier onmogelijk.

Charlotte merkte de verandering in mij, maar ze wist de oorzaak ervan niet. Van de man die geprobeerd had in zijn huwelijk toch liefde te brengen, was ik geworden tot een man die alles over zich heen liet komen, in het werk en thuis. En wellicht daardoor stortte Charlotte zich meer en meer op haar bezigheden bij het Waterlandmuseum. Het gaf haar voldoening. Ze werd bejubeld, ze kon het goed vinden met de directeur en met de collega's.

Charlotte raakte zwanger, ons dochtertje Loekie werd geboren. Ik ben blij met dat kind en ik hou van haar, maar in haar eerste levensjaren waren mijn gedachten dikwijls bij Eline en de zoon van haar en mij. Ik leefde stilletjes een dubbelleven. Nuchtere aandacht bij het werk en het gezin, maar in de uren die ik alleen was, kwam het fantaseren over Eline en jou. Hoe het geweest had kunnen zijn.

Toen kwam de dag waarop een vriend van Charlotte vertelde dat hij een jongetje had gezien dat beslist tot onze familie, de Palensteyns, behoorde. Waarschijnlijk was het het zoontje van een verre neef of nicht, maar Charlotte had nooit gehoord over verre neven en nichten. Misschien wist ik er meer van, ze zou het me diezelfde avond vragen. Maar, verzekerde die vriend haar, dit ventje lijkt als twee druppels water op Vincent.

Die avond barstte de bom. Ik kon niet anders dan de waarheid vertellen. De volgende morgen reed Charlotte naar de villa van haar ouders. Willem werd na een hysterisch telefoontje van Louise spoorslags naar huis geroepen om alles aan te horen. Louise en hij waren door het dolle heen van ontzetting en woede. Ik had een kind bij een andere vrouw dan mijn eigen vrouw, en mijn eigen vrouw was hun dochter! En, reken maar uit, dat kind was verwekt toen de voorbereidingen voor het huwelijk tussen Charlotte en mij aan de gang waren! Dat was toch meer dan schandelijk! Willem en Louise waren heftig verontwaardigd. Dat begreep ik wel. Ik was een huichelaar, een gluiperd, nou ja, er kwamen heel veel lelijke woorden los.

Het echtpaar Zandbergen stapte nog dezelfde avond naar mijn ouders. Het luidde het einde in van de fijne vriendschap die de beide echtparen voor elkaar hadden gevoeld, maar die door alle gebeurtenissen al enigszins bekoeld was. Willem Zandbergen had de touwtjes van de onderneming energiek in handen genomen en hield ze na dit gebeuren nog steviger in zijn handen. Mijn vader, dat moet ik toegeven, kon de leiding niet aan, maar door de houding van Willem stond hij beteuterd toe te kijken; Willem had het met meer tact kunnen aanpakken. Aan wat er tussen Eline en mij gebeurd was, was mijn vader totaal onschuldig. Maar mijn vader had nog altijd de droom dat ik langzaamaan zou opklimmen tot mededirecteur van het bedrijf. Mijn naam is tenslotte Palensteyn. Mijn moeder was totaal van streek toen ze het vreselijke nieuws, het bestaan van mijn zoon, hoorde. Ik had een buitenechtelijk kind, een kind bij een vreemde vrouw. En ik had dit grote geheim vele jaren verborgen gehouden! Mijn vader reageerde vooral op het feit dat er een kleinzoon was. Uiterlijk een echte Palensteyn, dat had Louise toch gezegd?! Twee druppels water, wilde je het nog sterker hebben? De jongen betekende een opvolger voor de toekomst, want Charlotte en ik hadden alleen een dochter.

Het was een moeilijke tijd. Men schoof mij alle schuld toe, het waarom was naar de achtergrond verdrongen en ik kon mij niet verdedigen. Ik was geestelijk moe. Ik had geen vechtlust meer en waartegen moest ik vechten? Ik wist dat ik niets meer kon veranderen. Alles was gegaan zoals het was geaan.

Maar ik verlangde nog steeds naar Eline. Vanaf de middag bij de poppenkast verlangde ik naar jullie allebei. Al zeven, acht jaar, maar er viel niets aan te doen. Ik probeerde contact met Eline te houden en via haar met jou. Maar Eline liet me beloven dat ik je tijdens je kinderjaren met rust zou laten.

Ik heb die jaren geleefd met een diep gevoel van verlangen en teleurstelling. En ons huwelijk? 'O,' zei Charlotte onlangs in een gezelschap, 'ik had vroeger ook mijn dromen over het ideale huwelijk. Het wordt eindeloos in romantische liederen en gedichten bezongen, maar je moet wel realistisch blijven.'

Ondanks dat gaat het goed tussen Charlotte en mij. Het is geen huwelijk zoals ik dat in mijn dromen met Eline gehad zou hebben. Daarin zou echte liefde meespelen. Ik weet dat Eline zo'n huwelijk met Werner heeft opgebouwd. Ik voel de fijne sfeer die in dat gezin heerst.

Enkele jaren na de komst van Loekie werd ons tweede meisje geboren. We zijn allebei dol op onze kinderen. Ons huwelijk is niet slecht. We mopperen af en toe op elkaar, maar we menen die woorden niet echt. We leven elk in onze eigen wereld. We hebben allebei druk en interessant werk. We maken plannen die daarmee verband houden. We hebben elk onze eigen gedachten en verlangens, en we wonen in een prachtig huis.

Charlotte geniet van haar leven. Dat zie ik aan haar. Ze is vrolijk, ze lacht en praat, ze heeft veel plannen en goede ideeën. Het museum geeft haar daar de mogelijkheden toe. Ze houdt van de contacten met de mensen om zich heen. Ja, Charlotte is tevreden met het leven.

Ik doe mijn werk met veel routine. Ik kan het aan, maar in mij blijft knagen wat ik heb verloren. Waarschijnlijk zou een psycholoog zeggen dat ik me ervan moet losmaken, dat ik andere interesses in het leven moet zoeken. Maar, Robbert, het is voor jou waarschijnlijk moeilijk te begrijpen, maar dat wil ik niet en ik kan het ook niet."

„Alles wat verloren is gegaan, blijft in uw herinnering en in uw hart voortleven."

„Ja, dat heb je mooi gezegd. Ik hou vast aan mijn dromen. Ik leef met mijn dromen. Ik weet dat het niet verstandig is, ik moet ze loslaten, maar ik kan ze niet loslaten.

Ik leefde de voorbije jaren met de hoop op de achtergrond dat het eens weer goed zou worden tussen Eline en mij. Dat we weer contact zouden hebben. Het zou gebeuren door onze liefde en door ons kind. Ik belde haar met tussenpozen op en de meeste keren wilde ze naar me luisteren en me antwoord geven. Dat gaf me moed. Ik heb haar gevraagd of ze de liefde die tussen ons was, kon vergeten en hoe ze nu, met Werner… Ze antwoordde daarop dat onze liefde uit de tijd was dat we jong waren, het leven op ons wachtte. Het stond met open armen klaar om ons te begroeten. In dat leven hoorden vanzelfsprekend liefde en geluk. Zij hield destijds van mij. Ze geloofde in mij, ze vertrouwde op mij, 'maar', zei ze in dat telefoongesprek 'jij liet me van het ene op het andere ogenblik volkomen los. Ik viel in een zwart gat. Later begreep ik, na veel nadenken, dat je er redenen voor had. Maar die middag liet je me los. Op dat moment gleed mijn grote liefde voor jou uit me weg. Ik was zwanger, ik wist niet hoe het verder moest, zonder jou, maar toch kwam alles goed, door de steun van thuis. Ik leerde Werner kennen en de liefde tussen hem en mij is de liefde van volwassen mensen. Geen roze dromen meer, geen fantasie over alleen maar liefde en geluk.' Dat zei ze toen. Mogelijk met iets andere woorden, maar hierop kwam het neer. Ze zei ook: 'Robbert is biologisch gezien jouw zoon. Dat is een belangrijk gegeven. Werner en ik zullen niet tussen jullie komen als Rob ouder is, alles begrijpt en contact met je wil. Maar we willen zijn kinderjaren niet beïnvloed zien door telefoontjes van een tweede vader. Hij heet

Hofstra en Werner is zijn vader. Robbert is een blij en zorgeloos kind. We gunnen hem na de lagere school een gezellige studietijd. Het is een fijne jongen die zijn weg in het leven wel zal vinden. Hij heeft jouw bemoeienis niet nodig'."

„Zo," reageerde Rob, hij wist niet goed wat nu te zeggen, „echt mijn moeder."

„Ja, echt je moeder. Op een vriendelijke toon de waarheid zeggen. Maar ik wilde niet loslaten."

Vincent zweeg. Rob keek naar hem. Opnieuw kwam de gedachte in hem op dat de man op deze middag langzaam veranderde van de sterke vent die op weg naar deze ontmoetingsplaats rechtop achter het stuur van zijn Volvo had gezeten, in een man die het psychisch heel moeilijk had. Hij was te veel bezig met wat in het verleden was gebeurd en met wat hij in de toekomst wilde. Deze man kende hem nu, was zijn vader en wilde zijn zoon naar zich toetrekken. Maar hun levens waren niet met elkaar verbonden. Er was te veel tussen hen gekomen.

De gedachten gonsden in Robberts hoofd terwijl hij Vincent Palensteyn aankeek. Waarom zat hij hier? Omdat hij was geboren uit de liefde tussen zijn moeder en deze man. Die gedachte bracht hem lichtelijk in verwarring. Mama en deze man...

Hij hoorde de warme, donkere stem die zei: „Jij bent mijn zoon en ik heb jarenlang het gevoel gehad dat ik heel dicht bij je stond, ook al kende ik je niet. Het was de herinnering aan de liefde tussen Eline en mij. Daaruit is iets blijvends en kostbaars voortgekomen en het is een deel van haar en een deel van mij. Dat wilde en dat wil ik vasthouden. Jij bent ook van mij.

Ons gezin is nauw verbonden met de ouders van Charlotte. Mijn ouders wonen in Oplande, ik zie vader af en toe vroeg in de morgen voor ik op pad ga, maar moeder zie ik bijna niet.

Ik zie Willem op het bedrijf. Daar ben ik op papier zijn gelijke, maar in werkelijkheid is hij de grote baas. Ik accepteer dat.

Willem en Louise komen dikwijls bij ons thuis. Louise komt vaak in de namiddag als Hannie, onze hulp, naar huis wil. Charlotte is dan nog niet thuis. De meisjes babbelen veel met opa en oma. Louise en Charlotte hebben een hechte band, dat is echt moeder en dochter. Mijn ouders komen weinig bij ons thuis. Ik heb het gevoel dat ze zich er niet thuis voelen."

Vincent zweeg en Robbert wist niet wat op deze woorden te zeggen.

„Ik heb een tafel voor ons gereserveerd. Nu ik je bij me heb, wil ik dat zo lang mogelijk laten duren. Ik wil je door veel te vertellen een beeld geven van mijn leven."

„Uit wat u vertelde, is voor mij het beeld gegroeid, ik zeg het eerlijk, van een wat droevige man. U hebt fijne herinneringen aan de tijd met mijn moeder, maar die tijd is voorbij. U moet alle gedachten daarover loslaten, maar dat kunt u niet. Eline Sanders zal geen plaats meer in uw leven innemen. U bent toch een verstandige man? U moet haar loslaten."

Vincent knikte. „Nuchter bekeken heb je gelijk. Maar aan die tijd denken, geeft me iets om op terug te kijken. Het verwarmt me. Het zijn dromen die me goed doen. Zullen we aan tafel gaan? De ober wenkt me."

Ze stonden op en liepen naar een keurig gedekte tafel achter in de zaal. Een man die bij de bar stond, glimlachte naar hen. „Vader en zoon," zei hij, „dat kan niet missen!"

Vincent voegde hem toe: „Inderdaad, het kan niet missen."

Aan tafel zei Rob: „Ik begrijp waarom u erop hebt aangedrongen mij te zien."

„Ik wilde je zien en met je praten. Het is meer tegen je praten. Ik vertel, jij luistert.

In mijn fantasie maakte ik jarenlang plannen voor later, over de tijd wanneer je afgestudeerd zult zijn. In de jaren daarvoor wilde ik je leren kennen. Ik had Eline beloofd me niet aan je op te dringen, want dat zou het toch geweest zijn toen je nog jong was. Ik wilde je het bedrijf laten zien. Met je lopen over de werf, de loodsen bekijken met de machines, het kantoor. Maar het lijkt me nu geen goed plan meer dat te doen. Ik bedoel: jou mijn wereld binnenbrengen."

Rob liet de lepel even in de soepkom rusten.

„De omstandigheden in het bedrijf liggen anders dan in de tijd toen u stilletjes uw dromen over ons samen koesterde."

„Dat heb je mooi gezegd, jongen. Ja, zo is het. Vroeger was Willem de joviale vriend van mijn ouders. Ze hebben het jarenlang goed en gezellig met elkaar gehad en die warmte straalde nog een paar jaren na. Waarschijnlijk had Willem in het begin medelijden met mijn ouders. Je bedrijf zo in moeilijkheden zien komen, is hard. Voor mij was oom Willem in die tijd nog de oom Willem van vroeger. Maar vanaf de dag waarop Willem de situatie goed kon overzien en wist het bedrijf weer op de rails te hebben gezet, veranderde zijn houding.

Ik heb waardering voor de wijze waarop hij het heeft aangepakt. Willem Zandbergen is een leider. Hij laat mij meewerken in het bedrijf, ik heb een belangrijk onderdeel in handen: het contact met onze relaties. Orders boeken, zorgen voor correcte afleveringen en noem maar op. Willem vertelt mij over nieuwe investeringen, maar de beslissingen neemt hij."

Vincent boog zich over de tafel heen naar Robbert toe. „Ik weet dat ik naar buiten toe een flinke vent lijk, maar vanbinnen is het precies andersom."

„U brengt uzelf in moeilijkheden."

„Waarschijnlijk is dat zo. Maar ik kan niet op tegen Willem Zandbergen. Achter hem staat mijn vlotte schoonmoeder. Ik mag haar wel. Ze is vriendelijk en voorkomend tegen me.

Naast die twee staat Charlotte. Zij heeft weinig binding met het bedrijf. Ze is er trots op, dat wel, want het is een groot, groeiend bedrijf en haar papa heeft het uit de puinhopen gered! En ik werk in het bedrijf. Mijn naam is Palensteyn, ik hoor er dus bij. Ik heb een uitstekend salaris, vader Willem weet hoeveel geld er in ons gezin doorgaat! Maar het zijn altijd drie stemmen om me heen die praten, vragen, plannen maken en alles weten, alles beter weten dan ik."

De soepkommen waren leeg, de ober kwam ze halen en bracht ze naar de keuken. Robbert was door het verhaal een beetje verdrietig geworden. Hij had medelijden met deze man. Uit wat naar voren kwam, was duidelijk dat het verdwijnen van zijn moeder een zware klap in het leven van Vincent was geweest die hij nooit echt te boven was gekomen.

De ober bracht het hoofdgerecht. Hij zette de borden voor hen neer en veel schaaltjes. Ze keken er allebei naar. Nadat de ober was vertrokken, viel er even een stilte. Toen zei Robbert: „Na alles wat ik deze middag heb gehoord, denk ik dat het voor mij beter en ook verstandiger is de plannen los te laten later in het bedrijf Palensteyn te gaan werken. Ik ga bedrijfseconomie doen en het lijkt me een interessante studie. Maar ik trek ook naar accountancy. Het sluit erbij aan, het heeft er in elk geval mee te maken. Maar het werk ligt wel op een ander vlak: door de cijfers van een bedrijf door te lichten, kun je het reilen en zeilen daarvan in beeld brengen."

Vincent Palensteyn legde zijn mes en vork neer.

„Je… Je wilt de houthandel loslaten?"

„Mijn naam is Hofstra. Nu ik heb gehoord hoe de verhoudingen in uw privéleven en in het bedrijf liggen, denk ik dat het beter is mijn eigen weg te gaan. Ik ben ervan overtuigd dat dat zal lukken. Ik heb er alle vertrouwen in. Ik wil graag een vrij man zijn en alle beslissingen voor mezelf nemen, en niet in een bedrijf werken waar Willem Zandbergen mij liever niet heeft. Want zo is het toch?"

„Ja, zo is het eigenlijk wel. Maar het prachtige bedrijf dat je overgrootvader heeft opgericht..."

„U bent een Palensteyn en u blijft nog jarenlang in de zaak werken. Ik heb er geen binding mee. Onderneming of geen onderneming, u blijft mijn biologische vader en er zijn veel mogelijkheden elkaar te ontmoeten. U hebt vanaf de dag dat u hoorde van mijn bestaan dat bedrijf en mij aan elkaar gekoppeld, maar dat hoeft helemaal niet. Ik ben Robbert Hofstra. Maar," hij lachte, „wij hebben wel iets met elkaar."

De lach bleef nog even op zijn gezicht, maar gleed toen weg. Hij zakte terug tegen de leuning van zijn stoel. Hij voelde zich uitgeput van onmacht omdat hij de sfeer deze middag niet optimistisch kon krijgen. De neerslachtigheid van zijn vader had hem behoorlijk aangegrepen. Deze man droeg een stil verdriet met zich mee over iets wat jaren geleden was gebeurd en nooit meer ongedaan gemaakt kon worden. Hij had spijt, maar hij kon destijds niet anders handelen dan zoals hij gehandeld had. Hij moest het loslaten. Niet omdat de gevolgen niet ingrijpend genoeg voor hem waren geweest, want dat waren ze zeker wel. Hij had zijn grote liefde weggestuurd en ontdekte ruim drie jaar later de verpletterende waarheid die daaraan verbonden was. Hij had een kind met deze vrouw, hij had een zoon met haar.

Robbert merkte op: „U ziet weinig mogelijkheden mij in de komende jaren in contact te brengen met uw familie." Het was misschien goed er dieper op in te gaan. Het zou Vincent pijn doen, maar het op tafel brengen van de feiten en erover praten, liet het duidelijker zien.

Vincent knikte. Er lag een verdrietige trek op zijn gezicht. „Ja jongen, helaas, het is beter af te wachten tot je klaar bent met je studie. Ik heb al iets gezegd over je grootouders. Zodra mijn vader je ziet, zal hij je alles over de houthandel willen vertellen. Je de werf laten zien, de opslagplaatsen, de haven waar de schepen aanleggen aan het Holgendiep en de kantoren. Hij is zo trots op het bedrijf. Ik heb soms het gevoel dat hij alle narigheid van ruim twintig jaar geleden ver naar achteren heeft geschoven en zichzelf nog steeds ziet als één van de twee echte eigenaren van Palensteyn Houthandel: zijn zoon en hij. Maar zo is het alleen voor mensen die het bedrijf van vroeger kennen. In werkelijkheid heeft Willem de touwtjes in handen.

Er zijn nu en dan besprekingen tussen Willem en mij, dan praat hij joviaal met me, ook over de financiën, maar bedenk daarbij dat ik ook zijn schoonzoon ben. Hij wil in het huwelijk van Charlotte en mij geen kwaad aanrichten. Wij moeten bij elkaar blijven. Charlotte heeft het naar haar zin in het leven, en we hebben twee kinderen die hun vader willen houden. Er zou wrijving kunnen ontstaan als ik Charlotte vertelde dat haar vader mij buiten veel zaken houdt, terwijl hij doet alsof hij me bij belangrijke beslissingen betrekt. Dat zal Charlotte niet accepteren. Zij werkt op een heel andere wijze met de mensen van en rondom het Waterlandmuseum. Geen van hen heeft er eigen geld in zitten. Klaas Scheltema bespreekt heel veel met haar.

Ik heb onlangs met Willem over jou gepraat. Hij weet natuurlijk van jouw bestaan. Hij zei: ‘Het was een ontzettend domme streek van je, het had niet plaats mogen vinden. Maar dergelijke dingen gebeuren nou eenmaal. Je bent jong, en je denkt niet na. De jongen is geëcht door een andere man, Vincent, het is jouw kind niet. Je moet hem in dat gezin laten en je er verder niet mee bemoeien. Dat is voor iedereen het beste. En wat jij wilt: hem in de zaak halen, zal narigheid brengen, en los daarvan, ik heb er geen zin in. Het is jammer dat Charlot en jij geen zoon hebben, maar als jullie er wel een hadden, was er nog geen garantie dat hij later in het bedrijf zou willen werken. Ik kan daar voorbeelden te over van opnoemen. Als jij wel doordramt over die knaap, zeg ik je nu duidelijk dat hij veel te jong is om binnen te halen. Hij heeft nog vijf of zes studiejaren voor de boeg. Ik wil hem niet om me heen hebben. Je weet ook zelf wel dat het niet goed is. Voor deze jongen is het over vijf, zes jaar vroeg genoeg een en ander te overwegen. Je zegt dat het een Palensteyn is, maar dat zegt me niets. Kijk naar wat je vader met het bedrijf heeft gedaan. En als het om de naam Palensteyn gaat, je twee dochters dragen die naam wel. Wie weet heeft een van jullie meiden zakelijk inzicht. In deze moderne tijd kan ook een vrouw met pit een goede leidster van een onderneming zijn.'

Ik bracht naar voren dat de naam Palensteyn... Maar daar lachte Willem Zandbergen luid om. Binnen enkele dagen kan de naam Palensteyn geheel veranderen in de naam Zandbergen! Ook mooi, ja toch?"

Na deze woorden van Vincent wilde Robbert een stilte inlassen, een rustperiode was voor beiden welkom. Zijn gedachten volgden elkaar in hoog tempo op. Vincent zat stil, nog nadenkend over de woorden die hij had uitgesproken. Voor hem was het een biecht geweest, een biecht dat hij geen kans zag zijn zoon naar voren te schuiven in het kleine kringetje van mensen om hem, Vincent, heen. Een kringetje van drie. Zijn vader en hij aan de ene kant, Willem Zandbergen sterk aan de andere kant.

Robbert Hofstra leunde naar voren en keek Vincent met een vriendelijke blik in zijn donkere ogen aan. De woorden die hij nu ging zeggen, had hij met zorg uitgekozen. Hij had zijn conclusie getrokken.

„Het is duidelijk dat wij beiden moeten kijken naar alles wat deze middag is gezegd. Het is het beste alle plannen die u voor mijn toekomst in gedachten had, los te laten."

Rob was uit de auto gestapt. „We zien elkaar weer," zei hij gebogen in de portieropening tegen de man achter het stuur.

Die knikte. „Ja, jongen, graag."

Rob deed een stap achteruit en sloot het portier. Hij stak zijn hand op als laatste groet na deze enerverende middag. De wagen reed weg.

Rob draaide zich om en liep in de richting van de Vondellaan. Hij besloot niet de kortste weg naar huis te nemen, maar via het Rozenpad en het kleine plantsoen te lopen. Even alleen zijn met alle gedachten en gevoelens van de voorbije middag. Hij stak de handen in de zakken van zijn jekker.

Hij voelde zich moe en down. Hij wist dat dit vooral voortkwam uit het gevoel van medelijden met de man die in de voorbije uren zijn teleurstellingen in het leven voor hem had opgebiecht. Die man was zijn biologische vader. Dat betekende dat ze met elkaar verbonden waren, als vader en zoon.

10

Robbert stapte door de achterdeur het huis binnen. Zijn moeder stond in de keuken, ze goot water in het reservoir van het koffiezetapparaat. Hij was keurig op tijd dus. Een pittig kopje koffie was welkom. Moeder Eline zette altijd pittige koffie. „Het moet een opkikkertje zijn," meende ze.

Ze begroette hem met de woorden: „Ben je daar eindelijk? Was er veel te bepraten?" Ze wilde het op een luchtig toontje zeggen, maar Rob voelde haar spanning achter de woorden.

„Er was inderdaad veel te bepraten."

Even later, met z'n vieren in de zithoek, de gevulde koffiekopjes op de lage tafel, begon hij te vertellen.

„Ik heb niet lang de tijd gehad alles van deze middag te overdenken, maar ik heb toch het gevoel dat ik Vincent Palensteyn beter heb leren kennen. Ik vertel alles in het kort, want alles herhalen heeft geen zin. En pap en mam," hij keek naar Yvonne, „kennen alle feiten. Alleen jij niet. Maar mama vertelt het je wel. Ik ben nu vooral bezig met hoe ik over Vincent Palensteyn denk.

Ik weet dat hij niet gelukkig is. Het is een trieste man. Hij blijft zichzelf in de weg zitten, want hij laat niet los. Hij wil niet loslaten. Het is een emotioneel mens en het leven heeft hem hard bejegend. Hij werd verliefd op jou, mam, dat kan niemand hem kwalijk nemen of verwijten. Jullie hielden van elkaar. Maar, mam, ik vraag het jou, als in die dagen niet het faillissement voor de firma Palensteyn had gedreigd, als aan het Holgendiep alles liep zoals het in een goed bedrijf moet lopen en Vincent Palensteyn dus niet van dat bericht had gehoord: hoe zou de reactie van hem dan geweest zijn?"

„Die reactie weet ik heel zeker. Ik wist nog maar kort wat er te gebeuren stond. Ik vond het vreselijk, want het betekende moeten trouwen, en dat klonk als een vonnis. Maar ik was ervan overtuigd dat Vincent na de eerste schrik zoiets zou zeggen als: 'Lieveling, het komt allemaal goed. Jij en ik horen bij elkaar en een kindje erbij kan alleen vreugde brengen. We vinden wel een oplossing. We redden het wel. We trouwen zo snel mogelijk'."

„Vind je dat Vincent in de nare omstandigheden van toen een goede beslissing heeft genomen?"

„Het lijkt wel een kruisverhoor," kwam Werners stem er nu lichtelijk geïrriteerd tussen, maar Eline weerde zijn woorden met een handgebaar af.

„Werner, laat Rob nu zijn vragen stellen." Ze keek weer naar Rob.

„Die middag was ik vreselijk boos en verdrietig, maar al snel was ik ervan overtuigd dat hij de enig juiste beslissing had genomen. De houthandel was een groot bedrijf. Er stonden grote sommen geld op het spel. En ook belangrijk voor Vincent was de schande die over zijn ouders zou komen. Eigelijk kon hij niet anders dan deze beslissing nemen. Maar dat neemt niet weg dat het voor mij... toen... verschrikkelijk was."

„Het is ook voor hem verschrikkelijk moeilijk geweest. Hij was zich ervan bewust dat hij zijn grote liefde moest loslaten. Dat heeft hem veel verdriet gedaan."

„Daarvan ben ik overtuigd. Hoe we er later, toen we ouder waren en anders naar het leven keken, ook over hebben gedacht, in die tijd verloren we allebei een grote, echte liefde."

„Ik denk dat voor Vincent de eerste jaren van zijn huwelijk met Charlotte niet echt slecht zijn geweest. Ze was verliefd op hem en er was bij haar geen enkele twijfel dat hij dat niet op haar zou zijn. Charlotte droomde haar eigen wereldje. Mooi huis, mooie spulletjes, trouwen met Vincent... Hij heeft aan jou gedacht, maar hij voelde zich ook trots en dapper omdat hij het bedrijf had gered en zijn ouders veel narigheid had bespaard. Hij zei er vanmiddag over: 'Ik heb me opgeofferd.' Hij zei niet, zoals ik nu heb gedaan, dat hij er trots op was.

Daarna vertelde Vincent over de feestmiddag in Walkenaar. Jou zien was al een grote schok, maar het zien van mij bracht hem volkomen in de war. Er was een kind. Dat het kind van hem was, was duidelijk te zien!

Hij vertelde niets over zijn ontdekking aan Charlotte. Hij begreep dat dat als een tijdbom onder hun huwelijk zou werken. Voor hem was alleen mogelijk aan jou en mij te denken, over ons te fantaseren, naar wegen te zoeken contact te leggen. De woorden verlangen en hopen komen nu, na zoveel jaren, als nuchter over, maar dat verlangen en die hoop waren er voor Vincent Palensteyn wel. Hij heeft het me vanmiddag verteld."

Eline zat stil in de stoel, de handen in de schoot. Ze knikte instemmend, maar zei niets.

„Toen vertelde een vriend van Charlotte haar dat hij een jongetje had gezien dat sprekend op Vincent leek. Was het misschien het zoontje van een neef of een nicht? Diezelfde avond vroeg ze hem of hij daar iets van wist. Welke neef dan of welke nicht? Hij kon niet anders dan haar alles vertellen. Het moet voor Charlotte een vreselijk bericht zijn geweest. In de tijd, kort voor hun huwelijk, toen zij droomde over het komende leven met Vincent, had hij nog een relatie met een andere jonge vrouw. Het moet voor Charlotte een vreselijke ontdekking zijn geweest."

Nu nam Eline het van hem over. „Daarvan zijn we alle vier overtuigd. Zijn verhaal over de laatste middag van Vincent en mij hield haar ontzettend bezig. Want er was één vraag waarop ze het antwoord niet wist. Die vraag was: Waarom heeft Eline hem niet gezegd dat ze zwanger was? Ze vroeg het Vincent. Hij antwoordde dat hij dat niet wist. Ik had het hem gewoon niet gezegd. En dat was ook zo; ik heb het hem niet gezegd.

Misschien heeft hij tegen Charlotte nog geopperd dat ik die zaterdagmiddag zelf nog niet wist wat er met me aan de hand was. Hij had me over de dreigende ramp van de houthandel verteld en dat vrienden van zijn ouders wilden helpen die ramp te voorkomen. Ik had er iets tegen in gebracht, en toen onze woordenwisseling hoog opliep, was ik weggegaan.

Charlotte was niet tevreden met het verhaal. Ze vroeg hem de hele geschiedenis van die bewuste middag nog eens te vertellen. Dat deed hij, maar het was hetzelfde verhaal als wat hij al eerder op tafel had gelegd. Ze had er geen vrede mee. En het zal jullie misschien verbazen, maar ze belde mij. Zo'n type is Charlotte. Want als iemand het antwoord op haar vraag wist, was ik het. Daar had ze gelijk in. Het antwoord was wat ik in stilte heb genoemd de verzwegen woorden. De verzwegen woorden van Vincent.

Ze vertelde mij Vincents verhaal en ik vertelde haar dat hij een stukje, maar wel een heel belangrijk stukje, daarin had weggelaten, namelijk de mededeling dat hij met haar, Charlotte, ging trouwen omdat haar ouders met een lening wilden proberen houthandel Palensteyn van de ondergang te redden.

Er was aan het einde van de middag waarop zij en ik elkaar spraken, één woord wat haar gevoelens samenvatte, dat was teleurstelling. Ze was hevig in Vincent teleurgesteld. In de allereerste plaats door zijn relatie met mij terwijl zij en hij trouwplannen hadden. Daarnaast het verzwijgen van het bestaan van zijn kind en dat zoveel jaren lang. Naast deze twee feiten was het weglaten in zijn verhaal aan haar dat hij mij wel over zijn huwelijk had gezegd, belangrijk. Het was achterbaks en huichelachtig.

Ik denk," Eline zei het bedachtzaam, „dat hij in de tijd toen dit speelde, vreesde dat het huwelijk van Charlotte en hem gevaar liep. De families Palensteyn en Zandbergen waren aan elkaar gekoppeld en het was voor alles beter dat dat zo bleef. Vincent was bereid er een hoge prijs voor te betalen."

„Ik weet zeker, mam, dat het inderdaad in grote lijnen zo gebeurd is. Charlotte hoort bij Vincent, maar wat haar echt bezighoudt en waar haar aandacht naar uitgaat, zijn de kinderen, haar werk, de vrienden en vriendinnen. En Vincent is te veel bezig met de vraag hoe het had kunnen zijn als alles anders was gelopen. Geen narigheid in het bedrijf, geen huwelijk tussen Charlotte en hem, maar jij in zijn leven. Als die gedachte te veel doorschiet, kan het voor hem gevaarlijk worden. Je toekomstplannen koesteren, is mooi. Maar als het geen toekomstplannen meer zijn, alleen beelden uit het verleden die je steeds meer oppoetst en mooier maakt, als je ze gaat verheerlijken en ze koestert... ik weet zeker dat dat een gevaarlijke situatie kan opleveren.

In zijn dagelijkse leven haalt het werk hem uit dat doolhof terug, maar als hij alleen is, droomt hij er in weg. Dan fantaseert hij hoe het leven met jou samen zou zijn verlopen en zijn dromen gaan over de toekomst met mij. Hij wilde me zo graag ontmoeten, jaren geleden al, mij binnenhalen in zijn leven. Me kennis laten maken met het bedrijf, er veel over vertellen, me voorbereiden op de plaats in de houthandel die hij voor mij in de toekomst had voorbestemd.

We hebben er vanmiddag over gepraat, maar, dat begrijpen jullie wel, hij praatte voornamelijk en ik luisterde. Ik kon over het onderwerp ook weinig zeggen! Algauw werd me duidelijk dat Willem Zandbergen in het leven van Vincent Palensteyn niet meer de man is die vroeger de beste vriend van zijn ouders was, maar de man die het bedrijf van zijn vader heeft overgenomen en volledig in handen heeft. Willem Zandbergen is een zakenman die het verdienen van geld, het maken van winst klinkt leuker, op de allereerste plaats heeft gezet. Dat is ook het doel van een onderneming. Hij heeft er volop plezier in. Nieuwe relaties zoeken, plannen maken, ideeën uitwerken, vergaderen. Hij doet het voor zichzelf, voor het luxeleven waarvan Louise en hij genieten en voor de toekomst van zijn dochter, haar man en hun kinderen. Vincent heeft de buitendienst onder zijn hoede. Het werk ligt hem goed en hij doet het graag.

Hoe het in de toekomst met het bedrijf zal gaan, is de grote vraag. Willem en Louise hebben geen zoon en Vincent en Charlotte ook niet. Of de dochters geschikt zijn voor een leidende functie in de houthandel, is de eerste vraag, de tweede vraag is of ze daarvoor zullen voelen; maar Willem weet wel dat er voor de onwettige zoon van Vincent geen plaats zal zijn. Ik heb Willem Zandbergen nog nooit gezien en gesproken, maar uit de opmerkingen en de houding van Vincent heb ik opgemaakt dat het achterbakse handelen van Vincent met dat kind, met mij dus, de sympathie van Willem niet heeft gewonnen."

Robbert schoof even heen en weer op zijn stoel, toen praatte hij verder: „Toen ik van mijn biologische vader hoorde, raakte ik daar echt van in de war. Dat is ook wel te begrijpen. Het is toch zo dat deze man en ik een bijzondere band hebben; we zijn vader en zoon. Jullie vertelden dat ik op hem leek, maar toen ik hem voor de eerste keer ontmoette, was ik verbijsterd door de gelijkenis. Zo zal ik er over ruim twintig jaar ook uitzien.

Op de achtergrond van dit alles speelde ook de naam Palensteyn. Die naam had ik meer dan eens horen noemen. Een oom van Theo werkt op het kantoor, Stefan kent twee mannen die afwisselend op de werf of in de loods werken achter de grote zaagmachines. Van dat bedrijf is Vincent medeeigenaar!! Zijn naam staat in grote letters op het kantoorgebouw! Toen ik dat voor de eerste keer zag, dacht ik: Ja, als je Palensteyn heet, moet je wel in palen en planken gaan handelen...

Tijdens de eerste ontmoeting was het vooral zijn blijheid tegenover mij te zitten, wat mij ook blij maakte. Ik had verwacht dat hij blij zou zijn, want mama had verteld dat hij regelmatig belde om over mij te praten. En los daarvan kan ik begrijpen dat hij naar me verlangde. Hij wist dat ik een zoon van hem was en dat is toch belangrijk? Hij vertelde enthousiast over zijn plannen voor later. Hij wilde me in mijn studietijd vertrouwd maken met het bedrijf. Er rond kijken, als ik er één en ander van wist en het met eigen ogen zag kreeg ik er een steeds duidelijker beeld van.

Het waren voor mij echt prettige middagen. Mijn fantasie sloeg af en toe op hol; het zal je toch maar gebeuren de kans te krijgen opgenomen te worden in de directie van zo'n mooie onderneming! En ik begreep het wel van mijn grootvader en mijn vader. Ik ben een jongen en ik was al zover dat ik studeerde om de kennis te krijgen die nodig is als je in zo'n bedrijf mede de leiding op je neemt! Ik hoorde af en toe de naam Willem Zandbergen, maar uit de opmerkingen in de begintijd van onze gesprekken bleek niet dat hij een stevige hand in alles had. En, dacht ik, die Willem heeft alleen een dochter die gek is op het museum, en twee kleindochters. Maar dat zijn nog kinderen. Dus voor mij als zoon van één van de leidende mensen in de houthandel zou wel een plek zijn.

Tijdens de gesprekken van de afgelopen middagen zei Vincent af en toe dingen die me het gevoel gaven dat niet alles zo geweldig verliep voor mijn biologische grootvader en vader.

Op een middag zei Vincent dat hij me over zijn leven wilde vertellen. Het enthousiasme tijdens de eerste gesprekken was voor mij al gezakt. Ik vermoed dat hij in die beginperiode zelf ook leefde met, hoe noem ik dat, blije vooruitzichten, maar dat hij in gesprekken met Willem ontdekte dat Willem geen plannen had de onwettige zoon van Vincent in het bedrijf binnen te halen. En dat binnenhalen zou natuurlijk niet alleen in de onderneming zijn. Als ik daar werkte kwam ik ook in aanraking met de families Palensteyn en Zandbergen. En dat wilde Willem Zandbergen niet.

Als ik het goed heb aangevoeld, heeft Charlotte na de vele jaren waarin Vincent mijn bestaan voor haar verzweeg, iets in haar houding tegenover hem aangenomen van: je wilde toen niet over dat kind vertellen, doe dat nu ook maar niet.

Door de informatie die bij mij binnendruppelde, stelde ik mijn verwachtingen bij met als gevolg dat ik het besluit nam alles los te laten. Want als men in dat kantoor mij met tegenzin zou binnenlaten, nou, dan ga ik er liever helemaal niet naartoe! Ik zal ook zonder Palensteyn wel een goede baan vinden. Ik heb Palensteyn niet nodig. Het was, tot deze middag, al zo dat de gesprekken tussen Vincent en mij meer babbelen waren over zeilen en vakantie houden.

Maar na vanmiddag denk ik er toch anders over. Ik zei het al, het is een trieste man met een triest levensverhaal. Hij is nog jong, maar hij zit midden in dat verhaal. Het is een emotioneel, waarschijnlijk te emotioneel mens. Hij weet wat echte liefde in een mensenleven kan betekenen, maar hij weet ook hoe het voelt dat te verliezen. Hij heeft een belangrijke beslissing moeten nemen het familiebedrijf te redden, maar wat is er nu het resultaat van? Willem Zandbergen laat hem een plaatsje naast zich innemen omdat hij Palensteyn heet en omdat hij zijn schoonzoon is, maar de familie is het bedrijf kwijt. Zo is het gewoon. Vincent heeft er zijn liefde voor opgegeven. Hij heeft nu een verstandshuwelijk met Charlotte. Het gaat uiterlijk goed, zijn leven is niet onprettig, maar het mist diepte. Vincent greep terug op de droom. Hij hoopte door mij naar voren te schuiven iets terug te winnen, maar het is niet gelukt.

Hij is mijn biologische vader. Ik vind het op zich een kil woord, biologisch. Ik wil proberen hem te helpen het verleden los te laten. Wat gebeurd is, is gebeurd. Het is voorbij. Hij moet in het heden leven. Meer aandacht schenken aan Charlotte, zodat het tussen hen warmer wordt. Genieten van zijn dochtertjes, zich meer met hen bezighouden. Meer investeren, naar ze luisteren, met ze praten. Een band met hen opbouwen zoals papa met mij heeft opgebouwd. Ik kan met al mijn problemen bij hem aankloppen. Schuld of geen schuld, hij zal me helpen. Vincent moet wat de meisjes aangaat meer in zijn handen nemen, niet alles in de handen en de zorg van Charlotte en Louise laten liggen. Hij is hun vader, hij moet er voor hen zijn.

Ik hou wel contact met hem. Ik hoop dat hij zich langzaam aan goed gaat voelen in zijn eigen leven. Dat is tenslotte wel genoeg: een vrouw, twee kinderen. Tussen hem en mij kan vriendschap zijn, genegenheid. Ik heb één vader, pap, dat ben jij. Maar ik wil Vincent helpen een weg te vinden waarin hij zich tevreden kan voelen.

Veel later in de nacht stond Eline voor de spiegel in de slaapkamer. Ze keek naar zichzelf. Een bleek, vermoeid gezicht na deze uren vol spanning.

Ze had vanavond iets gezegd over de verzwegen woorden van Vincent.

Ze dacht nu aan haar eigen verzwegen woorden. De vraag van Robbert: „Hoe zou het gegaan zijn als je Vincent die middag wel over de zwangerschap had verteld?" Ze wist zeker dat hij voor de redding had gekozen. Want de houthandel was zó belangrijk in het leven van de Palensteyns, voor het voortbestaan daarvan moest alles wijken. Hij trouwde met Charlotte, maar hij zou los van zijn huwelijk contact met haar, Eline, hebben gewild. Hij zou haar financieel steunen, hij wilde hen niet loslaten. Maar op die manier wilde zij niet leven.

Haar keuze was goed geweest. Ze was verliefd geweest op Vincent, maar in haar leven was Werner de grote liefde.

Hij kwam de slaapkamer binnen en ging achter haar staan, legde zijn armen om haar heen en keek ook in de spiegel. Hun gezichten dicht naast elkaar. Lichtgrijze en blauwe ogen.

„Ik ben gelukkig met alle woorden van vanavond. We zouden het Rob niet beletten naar de familie van Vincent te trekken, maar ik hou hem liever in ons gezin. En dat gaat gebeuren, dat voel ik. Hij wil Vincent blijven ontmoeten en dat is goed, maar verder dan elkaar vertellen hoe hun levens verlopen, zal het niet gaan. Hij is onze jongen, Eline, onze Robbert."